D1106767

{книжники}

Быть бессмертным не в силе,
но надежда моя —
если будет Россия,
значит, буду и я.

ЕЕвтушенко

Евгений Евтушенко

Я пришел к тебе, Бабий Яр...

История самой знаменитой симфонии XX века

ТЕКСТ • КНИЖНИКИ
Москва 2012

УДК 821.161.1
ББК 84 (2Рос=Рус)6
Е 27

ISBN 978-5-7516-1055-5 («Текст»)
ISBN 978-5-9953-0204-9 («Книжники»)

Рождение Тринадцатой симфонии

ЛЕНИНГРАДСКАЯ СИМФОНИЯ

Я не знаю, что со мною станется.
Устоять бы, не сойти с ума,
но во мне живет пацан со станции
самой теплой станции – Зима.

Я иду по улице Карлмарксовой,
а с марксизмом нынче – недород.
Увязался сирота-комар за мной,
и навстречу бабушка идет.

Бабушка, которой лет за семьдесят,
тронула тихонько за плечо:
«Женичка, на чо же ты надеесси?
Я вот не надеюсь ни на чо...»

Я не верю в то, что верить не во что,
и внезапно вздрогнул всем нутром:
сквозь морщины проросла в ней девочка
та, что встретил я в сорок втором.

Боже мой, да это ты, рыжаночка,
Жанночка, чуть-чуть воображаночка,
в десять лет, как гриб-боровичок,
и красноармейская ушаночка
на кудряшках детских — набочок.

Безнадежно стоя за продуктами,
мы хотели хлеба и тепла,
но в скупой тарелке репродуктора
музыку Россия подала.

В несвободной той стране свободная,
хлам бараков превращая в храм,
это Ленинградская симфония
донеслась сквозь все бомбежки к нам.

Ты была единственная, стоящая
снившейся мне истинной любви.
Я тогда тайком под Шостаковича
ткнулся носом в пальчики твои.

Помню, неразлюбленная девочка,
между пальцев у тебя была
тоненькая беленькая стрелочка
от картох, что ты перебрала.

Музыку давали не по карточкам.
Нас не Сталин — Шостакович спас.
Голод нас покачивал, подкашивал.
Музыка кормила верой нас.

Никакой нас грязью не запачкало.
Наши руки не были в крови.
Дай я снова поцелую пальчики,
пальчики тяжелые твои.

Жанночка, нам есть на что надеяться.
Были и похуже времена.
И Россия никуда не денется,
если все поймут, что мы — она.

Бабушка, сам дедушка сегодня я,
но себя мальчишкой помню так,
будто Ленинградской той симфонии
худенький, но вечный нотный знак...

2003

Впервые о трагедии Бабьего Яра я узнал из стихов Ильи Эренбурга и Льва Озерова, вошедших вместе с освободительной Красной армией в Киев в 1943 году. Эта трагедия и стихи потрясли меня. Тогда мне еще не было известно, что первооткрывательницей этой темы была еще в 1941 году Ольга Анстей, ставшая женой поэта Ивана Елагина, оказавшаяся затем за рубежом. Однако после войны тема Бабьего Яра исчезла со страниц советской прессы, как будто ее не существовало. Увидев в 1961 году, что место захоронения стольких невинных жертв стало городской свалкой, я написал стихи. Мое стихотворение разрушило заговор молчания, и Тринадцатая симфония Дмитрия Шостаковича стала первым звучащим памятником Бабьему Яру.

1 августа 2006

Ольга АНСТЕЙ

КИРИЛЛОВСКИЕ ЯРЫ

I

Были дождинки в безветренный день.
Юностью терпкой колол терновник.
Сумерки и ковыляющий пень,
Сбитые памятники, часовни...
Влажной тропинкой — в вечерний лог!
Тоненькой девочкой, смуглой дриадой —
В теплые заросли дикого сада,
Где нелюбимый и верный — у ног!..
В глушь, по откосам — до первых звезд!
В привольное из привольных мест!

II

Ближе к полудню. Он ясен был.
Юная терпкость в мерном разливе
Стала плавнее, стала счастливей.
Умной головкою стриж водил
На меловом горячем обрыве.
Вянула между ладоней полынь.
Чебрик дышал на уступе горбатом.
Шмель был желанным крохотным братом!
Синяя в яр наплывала теплынь...
Пригоршнями стекала окрест
В душистое из душистых мест.

III

Дальше. Покорствуя зову глухому,
На перекресток меж давних могил
Прочь из притихшего милого дома,
Где у порога стоит Азраил —
Крест уношу, — слезами несытый,
Смертные три возносивший свечи,
Заупокойным воском облитый,
Саван и венчи̊к видавший в ночи...
Будет он врыт, подарок постылый,
Там, в головах безымянной могилы...
Страшное место из страшных мест!
Страшный коричневый скорченный крест!

IV

Чаша последняя. Те же места,
Где ликовала дремотно природа, —
Странному и роковому народу
Стали Голгофой, подножьем креста.
Слушайте! Их поставили в строй,
В кучки пожитки сложили на плитах,
Полузадохшихся, полудобитых
Полузаваливали землей...
Видите этих старух в платках,
Старцев, как Авраам величавых,
И вифлеемских младенцев курчавых
У матерей на руках?
Я не найду для этого слов:
Видите — вот на дороге посуда,
Продранный талес, обрывки Талмуда,
Клочья размытых дождем паспортов!
Черный — лобный — запекшийся крест!
Страшное место из страшных мест!

Декабрь 1941, Киев

Лев ОЗЕРОВ

БАБИЙ ЯР

Я пришел к тебе, Бабий Яр.
Если возраст у горя есть,
Значит, я немыслимо стар.
На столетья считать — не счесть.

Я стою на земле, моля:
Если я не сойду с ума,
То услышу тебя, земля, —
Говори сама.

Как гудит у тебя в груди.
Ничего я не разберу, —
То вода под землей гудит
Или души легших в Яру.

Я у кленов прошу: ответьте,
Вы свидетели — поделитесь.
Тишина,
Только ветер —
В листьях.

Я у неба прошу: расскажи,
Равнодушное до обидного...
Жизнь была, будет жизнь,
А на лице твоем ничего не видно.
Может, камни дадут ответ.
Нет...

Тихо.
В пыли слежавшейся — август.
Кляча пасется на жидкой травке.
Жует рыжую ветошь.
— Может, ты мне ответишь?

А кляча искоса глянула глазом,
Сверкнула белка голубой белизной,
И разом —
Сердце наполнилось тишиной,
И я почувствовал:
Сумерки входят в разум,
И Киев в то утро осеннее —
Передо мной...

* * *

Сегодня по Львовской идут и идут.
Мглисто.
Долго идут. Густо, один к одному.
По мостовой,
По красным кленовым листьям,
По сердцу идут моему.

Ручьи вливаются в реку.
Фашисты и полицаи
Стоят у каждого дома, у каждого палисада.
Назад повернуть — не думай,
В сторону не свернуть,
Фашистские автоматчики весь охраняют
путь.

А день осенний солнцем насквозь просвечен,
Толпы текут — темные на свету.
Тихо дрожат тополей последние свечи,
И в воздухе:

— Где мы? Куда нас ведут?
— Куда нас ведут? Куда нас ведут сегодня?
— Куда? — вопрошают глаза в последней
мольбе.
И процессия длинная и безысходная
Идет на похороны к себе.

За улицей Мельника — кочки, заборы
и пустошь.
И рыжая стенка еврейского кладбища.
Стой...
Здесь плиты наставлены смертью
хозяйственно густо,
И выход к Бабьему Яру,
Как смерть, простой.

Уже все понятно. И яма открыта, как омут.
И даль озаряется светом последних минут.
У смерти есть тоже предбанник.
Фашисты по-деловому
Одежду с пришедших снимают и в кучи
кладут.
И явь прерывается вдруг
Еще большею явью:
Тысячи пристальных,
Жизнь обнимающих глаз,
Воздух вечерний,
И небо,
И землю буравя,
Видят все то, что дано нам увидеть
Раз...

И выстрелы, выстрелы, звезды внезапного
света,
И брат обнимает последним объятьем
сестру...

И юркий эсэсовец «лейкой» снимает все это.
И залпы.
И тяжкие хрипы лежащих в Яру.
А люди подходят и падают в яму, как камни...
Дети на женщин, и старики на ребят.
И, как пламя, рвущимися к небу руками
За воздух хватаются
И, обессилев, проклятья хрипят.

Девочка, снизу: — Не сыпьте землю в глаза мне...
Мальчик: — Чулочки тоже снимать? —
И замер.
В последний раз обнимая мать.

А там — мужчин закопали живыми в яму.
Но вдруг из земли показалась рука
И в седых завитках затылок...
Фашист ударил лопатой упрямо.
Земля стала мокрой,
Сровнялась, застыла...

* * *

Я пришел к тебе, Бабий Яр.
Если возраст у горя есть,
Значит, я немыслимо стар.
На столетья считать — не счесть.

Здесь и нынче кости лежат,
Черепа желтеют в пыли,
И земли белеет лишай
Там, где братья мои легли.

Здесь не хочет расти трава.
А песок, как покойник, бел.
Ветер свистнет едва-едва:
Это брат мой т а м захрипел.

Так легко в этот Яр упасть,
Стоит мне на песок ступить, —
И земля приоткроет пасть,
Старый дед мой попросит пить.

Мой племянник захочет встать,
Он разбудит сестру и мать.
Им захочется руку выпростать,
Хоть минуту у жизни выпросить.

И пружинит земля подо мной:
То ли горбится, то ли корчится.
За молитвенной тишиной
Слышу детское:
— Хлебца хочется.

Где ты, маленький, покажись,
Я оглох от боли тупой.
Я по капле отдам тебе жизнь, —
Я ведь тоже мог быть с тобой.

Обнялись бы в последнем сне
И упали б вместе на дно.
Ведь до гроба мучиться мне,
Что не умерли смертью одной.

Я закрыл на минуту глаза
И прислушался, и тогда
Мне послышались голоса:
— Ты куда захотел? Туда?!

Гневно дернулась борода,
Раздалось из ямы пустой:
— Нет, не надо сюда.
— Ты стоишь? Не идешь?
Постой!

У тебя ли не жизнь впереди?
Ты и наше должен дожить.
Ты отходчив — не отходи.
Ты забывчив — не смей забыть.

И ребенок сказал: — Не забудь. —
И сказала мать: — Не прости. —
И закрылась земная грудь.
Я стоял не в Яру — на пути.

Он к возмездью ведет — тот путь,
По которому мне идти.
Не забудь...
Не прости...

1944–1945

Илья ЭРЕНБУРГ

БАБИЙ ЯР

К чему слова и что перо,
Когда на сердце этот камень,
Когда, как каторжник ядро,
Я волочу чужую память?
Я жил когда-то в городах,
И были мне живые милы,
Теперь на тусклых пустырях
Я должен разрывать могилы,
Теперь мне каждый яр знаком,
И каждый яр теперь мне дом.
Я этой женщины любимой
Когда-то руки целовал,
Хотя, когда я был с живыми,
Я этой женщины не знал.
Мое дитя! Мои румяна!
Моя несметная родня!
Я слышу, как из каждой ямы
Вы окликаете меня.

Мы понатужимся и встанем,
Костями застучим — туда,
Где дышат хлебом и духами
Еще живые города.
Задуйте свет. Спустите флаги.
Мы к вам пришли. Не мы — овраги.

1944

КАК Я ШЕЛ К «БАБЬЕМУ ЯРУ»

СМЫЧКИ СТУЧАЛИ ПО ПЮПИТРАМ

Московская консерватория была чем-то вроде собора, где даже в самые тяжкие времена встречались особо верующие, объединяемые и музыкой, и чем-то большим, чем она.

Когда в перерывах они гуляли по фойе, то делали это с медленным наслаждением, по-заговорщицки вглядываясь в лица и с облегчением находя друг в друге признаки чудом сохранившихся совести и вкуса. Это фойе было царскосельской аллеей советской интеллигенции.

В консерваторию меня впервые когда-то привел мой школьный товарищ Дима Жданов (ничего общего не имеющий с партийным искусствоведом) на концерт его любимого пианиста Владимира Софроницкого. А я был сибирский мальчишка с пальцами, потерявшими гибкость из-за того, что все военные годы они не прикасались к клавишам, сменив их на тяпку, пилу, топор, лопату. Меня потрясло то, как, величественно взяв всего несколько аккордов, Софроницкий столь же величественно поднялся и удалился. Как мне потом объяснили, это было вполне в его стиле. Но меня поразило, с каким уважением консерваторская публика восприняла даже это «неисполнение» как проявление свободы и гордости и отнюдь не роптала на своего строптивого кумира.

На сцене консерватории, слава Богу, не стояли трибуны, с которых произносились партийные доклады о том, какие все мы счастливые. По этой сцене, в отличие от драмтеатров, не метались штампованные лысенькие Ленины, выбрасывая вперед ручонки, вытянутые из-за жилетов, не расхаживали медлительно-значительные Сталины.

А со стен консерваторского зала смотрели так не похожие на портреты членов Политбюро Чайковский, Бетховен, Моцарт, Григ...

На этих стенах, правда, еще недоставало портрета одного композитора, который дал нам всем счастье быть его современниками и столько раз стать первыми слушателями его произведений. Коллекционеры первых исполнений великой музыки в чем-то счастливей коллекционеров первых изданий. Уникальную книгу все-таки можно купить и через сотню лет, а вот уникальное присутствие на концерте не купишь.

В консерватории царили звуки, которые иногда тоже лгали, но все-таки значительно меньше, чем окружающие нас слова.

Варваризированные своей ежедневной жизнью язычников, в которой мы сами себе наделали столько пошлых идолов, мы, попадая сюда, боязливо, но долгожданно вступали в консерваторский бассейн гармонии, как древние славяне во время крещения входили в Днепр.

А 18 декабря 1962 года я слушал здесь премьеру необыкновенной симфонии Шостаковича под несчастливо-счастливым номером 13 — может быть, единственной в мире симфонии, на которой люди и плакали, и смеялись. Эта симфония по мановению дирижерской палочки легко превращала консерваторский зал то в Голгофу, то в тюремную камеру, где томится Дрейфус, то в белостокскую улочку, над которой реет белый пух погрома, то в каморку Анны Франк, то в ярмарочный балаган со скоморошьими дудочками, то в мрачные своды, под которыми происходит суд над Галилеем, то в московский магазин с тихо движущимися полупризраками женщин. Весь консерваторский зал встал, когда на сцену между музыкантами, стучащими смычками по пюпитрам, как-то боком начал протискиваться судорожно сжимающий собственные руки человек с чуть смешным петушиным хохолком, с косо сидящими очками — Шостакович.

Я никогда не видел никого так похожего на собственную судьбу, как он. Она была такой же судорожной, дергающейся, такой же перекореженной, как он сам. Весь его облик воззывал о его беззащитности, и в то же время он был могуч тем, что, не притворяясь могучим, принял на себя бремя защиты тех, кто был еще беззащитней, чем он.

Его Ленинградская симфония была противовоздушной звуковой обороной родного города.

Его музыка была тем единственным, что во время войны выдавали не по карточкам.

После войны он оказался слишком нежелательно знаменитым для властей, и тогда после снисходительно-унизительной моральной порки его решили принизить бесцеремонным использованием.

Ему бесконечно навязывали интервью, речи, тосты на официальных банкетах, подписание всяческих коллективных здравиц. Ему время от времени навешивали очередные ордена и лауреатские бляшки, которые давили на его сердце.

Его не засадили за колючую проволоку, но она вдруг ржаво прорастала сквозь щели между клавишами рояля так, что кровоточили кончики пальцев.

Когда его насильно послали в Америку, на пресс-конференции он скороговоркой выпаливал благодарности партии, потому что члены его семьи оставались заложниками.

Потом он сам вступил в партию, надеясь, что теперь-то они от него отстанут, не будут лезть в душу так беспардонно, как раньше, и его семья будет в безопасности. Но лезть в душу продолжали. Правда, несколько повежливей, заменив льстивой настырностью прежнее хамство.

Он стал председателем Союза композиторов РСФСР для того, чтобы помогать другим, и помогал, насколько было возможно. Он пожертвовал свободой внешней во имя тайной внутренней свободы. Но такая тайная свобода у него никак полностью не получалась, как полностью не получилась она и у самого Пушкина. Ему подсовывали стукачей, записывали его телефонные разговоры.

Однажды, выпивая — как всегда, лихорадочно, — он вдруг нервически расхохотался, когда к нему позвонил из Америки композитор Сэм Барбер, а кто-то их явно начал подслушивать и даже, как бы по-дружески предупреждая об этом, кашлянул в трубку.

— Воображаю, как в их Главном Подслушивательном Центре сидит кто-нибудь и переставляет, переключает бесчисленные проводочки, напевая мою песенку: «Родина слышит, Родина знает...»

Есть такая присказка: «Не родись красивой, а родись счастливой». Можно и по-другому: «Уродился гением? Запасись терпением». Еще Пастернак заметил в «Охранной грамоте»: «...Одинаковой пошлостью стали давно слова — гений и красавица. А сколько в них общего». И красивую женщину, и гения все хотят заполучить, если не подкупом, то силой. Со всех сторон протягиваются жадные взгляды, липкие руки. Вся жизнь — сквозь строй этих глаз и рук.

Но в день премьеры Тринадцатой симфонии, после того как в воздухе консерваторского зала зависли нежные колокольчиковые звуки финала, казалось, что этих липких рук больше нет. Аплодисменты, как белоснежные чайки, взлетали из всех рукавов, и гений стоял на сцене над этим бушующим плеском, неуклюже кланяясь... И вдруг он ступил на самый край сцены и кому-то зааплодировал сам, а вот кому — я не мог сначала понять. Люди в первых рядах обернулись, тоже аплодируя. Обернулся и я, ища глазами того, кому эти аплодисменты были адресованы. Но меня кто-то тронул за плечо — это был директор консерватории Марк Борисович Векслер, сияющий и одновременно сердитый: «Ну что же вы не идете на сцену?! Это же вас вызывают...» Хотите верьте, хотите нет, но, слушая симфонию, я почти забыл, что слова были мои, — настолько меня захватила мощь оркестра и хора, да и, действительно, главное в этой симфонии — конечно, музыка.

А когда я оказался на сцене рядом с гением и Шостакович взял мою руку в свою — сухую, горячую, — я все еще не мог осознать, что это реальность... Но совсем другие – липкие руки были еще впереди... Собственно говоря, и мой путь на эту консерваторскую сцену лежал сквозь те же липкие руки.

АНАТОЛИЙ КУЗНЕЦОВ

— А цей хлопчык нэ еврэй?

— Та ни, нэ еврэй...

— Шо ж вин тоди у своий автобиографии на Бабий Яр наполягае? Це дило треба розжуваты... — Со следовательской задумчивостью вертел в жирных пальцах дородный дядя, которому подошел бы забрызганный кровью фартук мясника, автобиографию молодого журналиста Анатолия Кузнецова, вытащенную из его личного дела.

Разговор происходил в кабинете каховской многотиражки в 1952 году. Редактор был смер-

С Анатолием Кузнецовым, 1961 г.

Е.Евтушенко, 1961 г.

тельно напуган и услужливо открыл сейф по требованию двух приезжих письменников, заподозривших в Кузнецове еврейское происхождение из-за его «нездорового» интереса к Бабьему Яру.

Это были цыганистый секретарь одесского Союза писателей и главный редактор одного из киевских издательств — очень любивший читать собственную лирику, неожиданно тоненьким для своей комплекции голосом, умильно закатывая глаза. Но сентиментальность и злодейство, к сожалению, есть вещи совместимые.

Привычный ужас той эпохи состоял в том, что рытье в чужих анкетах и вынюхивание из них подозрительных запахов вовсе не считалось злодейством, а было тогдашним бытом.

Письменники целый день пили горилку и играли в карты, проводя таким образом творческую командировку на «стройку коммунизма». А по вечерам их разъедала смертельная скука и хотелось найти кого-то, над кем можно было бы поизгаляться. Тошнотворная пустота внутри — главная причина изгаляний людей над людьми.

Я предупредил тогда Кузнецова, что под него «подкапываются».

— А ты что, правда был в Бабьем Яре? — спросил я.

Впервые об этой трагедии я узнал еще мальчишкой из прекрасного, к сожалению, полузабытого стихотворения Льва Озерова сорок четвертого года:

Я пришел к тебе, Бабий Яр.
Если возраст у горя есть,
Значит, я немыслимо стар.
На столетья считать — не счесть.

— Нет, я там не был... — мрачно ответил Кузнецов, затравленно опустив глаза. — Но я видел, как это все было...

Мы сидели на берегу, и Кузнецов рассказывал, рассказывал... Уже смеркалось, но мне казалось, что в тумане, медленно опускающемся на Днепр, я вижу бесконечные тени детей, женщин, стариков, идущие по воде, не прогибая ее...

— Ты должен написать об этом, — сказал я Кузнецову.

— Кто это будет печатать... — пожал он плечами. — А кроме того... я... я... боюсь...

Как впоследствии подтвердилось, он был прав в боязни писать об этом... Кузнецова не убили в Бабьем Яру — его убил собственный роман о Бабьем Яре. Роман напечатали, но он был зверски искромсан цензурой.

По-моему, у Кузнецова в результате издевательства над его любимым детищем что-то случилось с головой. Аксенов мне рассказал, что однажды он ночевал у Кузнецова и тот послал к нему с подносом, уставленным напитками, собственную жену, на высоких каблуках и в чем мать родила. Когда меня и Аксенова вывели из редколлегии «Юности», туда почему-то спешно ввели Кузнецова и столь же спешно командировали для работы над романом об Энгельсе в Лондон, где он и сбежал, прихватив пару микрофильмов: один — с полным текстом романа «Бабий Яр», а другой — с какими-то эротическими доморощенными арабесками. Затем, видимо пытаясь вызвать жалость к своей судьбе, Кузнецов напечатал в «Обсервере» «Исповедь доносчика», где признался, что строчил доносы в КГБ на советских братьевписателей — в том числе и на меня. Однако это вызвало не жалость, а презрение его западных коллег. Через несколько лет он трагически погиб в автокатастрофе. Жаль, что так некрасиво и нелепо закончилась жизнь этого талантливого писателя. Но я ему все равно благодарен на всю мою жизнь за то, что он привел меня к Бабьему Яру.

А тогда, в 1952 году, приглашенные Александром Довженко, писавшим в Каховке гигантский романтический сценарий все о той же стройке коммунизма, Кузнецов и я пошли вместе с великим режиссером на японский фильм новой волны. Названия фильма не помню. Это была близкая к «Похитителям велосипедов» история многодетной семьи в Токио, отец которой никак не может найти себе работу. Они с женой решают отравить газом и себя, и детей. Перед этим они продают последнее, что у них осталось, и ведут детей в парк — покатать на качелях, на лодке. Неожиданно мальчик срывается в воду, и отец его спасает. После этого великий кинорежиссер, не дожидаясь конца, направился к выходу, громогласно заявив на весь зал:

— Это так гениально, что я не могу больше этого видеть. Мне стыдно за всю мою жизнь.

А я испытал нестерпимый стыд в 1961 году. Тогда, впервые встав на обрыве перед Бабьим Яром рядом с Кузнецовым, вызвавшимся быть моим гидом, я потрясенно увидел, что там нет никакого памятника, ни даже какого-либо знака. Бабий Яр был превращен в свалку. Начало стихотворения выдохнулось само: «Над Бабьим Яром памятников нет...»

СТЫД КАК СОАВТОР

Мои многие стихи начинались именно со стыда. Чаще всего — со стыда за себя.

Стыдиться только других — гораздо комфортней.

В случае с Бабьим Яром для моего стыда была особая причина.

С.М.Михоэлс

Я рос в семье, где никогда не слышал еврейских анекдотов, за исключением тех случаев, когда их рассказывали мамины приятели-евреи, любившие подшучивать сами над собой. На станции Зима бок о бок мирно существовали и православное, и католическое, и еврейское кладбища...

Впервые слово «жид» я услышал в Москве. «Как ты можешь сидеть на одной парте с жидом?» — спросил у меня один хмырь-третьегодник.

Когда я переспросил его: «Что это такое?» — он, наверное, подумал, что я притворяюсь.

В Москве мама брала меня с собой в Еврейский театр на Малой Бронной, и я трижды видел на сцене великого Михоэлса — дважды в роли короля Лира и один раз — в роли Тевье-молочника. Я влюбился в него. Мама взяла меня на похороны Михоэлса, когда его тело привезли из Минска.

— Дело нечисто, — показывая глазами на гроб, шепнула маме какая-то ее знакомая, но я это услышал. Еще я запомнил, что у выступавшего на панихиде Фадеева был неестественно тонкий голос, не совпадавший с его высоким ростом и благородной сединой. Он еле закончил свою речь, прерываемую дребезжащими всхлипываниями.

Надвигалось что-то страшное.

В 1952 году, когда я поступил в Литинститут, там было только два еврея — пылкий юноша-публицист и саркастическая девушка-критик.

У них никогда не было романа, но они всегда гуляли по литинститутским коридорам и по нашему скверику под ручку, перешептываясь, как две нежные подруги. Пылкий юноша-публицист со слегка пушистыми, всегда готовыми воспламениться щеками, был даже больше похож на девушку, а она напускала на себя врубелевский демонизм, попыхивая папиросой, так не сочетавшейся с ее белым шелковым бантом. В тот год у них были особые причины перешептываться.

Закрыли несколько аптек, из них увольняли евреев-фармацевтов, по городу носились слухи о том, что надо быть осторожней с лекарствами, печатались praванивающие фельетоны, Шолохов выступил против псевдонимов, по рукам ходила пародийная поэма Сергея Васильева «Без кого на Руси жить хорошо» — настолько откровенно антисемитская, что ее даже не решились напечатать. Психоз не просто распространялся, как эпидемия — он насаждался. Когда в «Правде» напечатали сообщение об аресте врачей-отравителей, я увидел, что пылкий публицист и девушка-критик стоят одни, словно зачумленные, в литинститутской курилке. Их не трогали. Их не оскорбляли. На них смотрели.

Я пересек невидимую линию и пригласил их вместо занятий в соседнюю шашлычную. Там они разрыдались оба от страха и унижения.

Через лет сорок я позвонил тому же самому — и ныне пылкому – публицисту, проверяя свои воспоминания.

— Помнишь, как ты плакал в шашлычной, когда арестовали врачей? — спросил я.

— Конечно, помню... — ответил пылкий публицист.

— Но вскоре после этого, если мне не изменяет память, ты стоял на трибуне в актовом зале Литинститута на фоне портрета Сталина с траурной каемкой и тоже плакал? — спросил я осторожно.

— Все это так... — ответил он, слегка улыбаясь. — Но я так же прекрасно помню, что на этой самой трибуне в тот день стоял ты и тоже плакал...

— Не может быть... — сказал я, растерявшись. — Почему же я этого не помню?

Проверяя те же самые воспоминания, я позвонил и бывшей девушке-критику.

— Слушай, мне сказали, что я выступал в марте пятьдесят третьего на траурном литинститутском митинге и плакал. Ты это помнишь? — спросил я.

— Как сейчас, — не без удовольствия сказала она. — Плакал почти булыжниками.

— Кстати, я хочу проверить — вас было всего двое евреев тогда в Литинституте?

Тут она меня ошеломила.

— А с чего ты взял, что я еврейка?

Я так и поперхнулся, потому что я прекрасно знал ее маму Розалию Ароновну, за которой даже безуспешно пытался приволокнуться, и ее родного дядю Якова Ароныча.

Да, все мы бываем очень талантливы, когда забываем то, что не хотим помнить. Вот какая хитрая стервоза наша память и как она избирательна. Поэтому всем мемуарам, в том числе и этим, надо верить — ну, как бы мягче сказать — «с допуском».

Есть, конечно, мелочи, есть стыды маленькие, но есть и Главные Стыды.

Их мы не должны забывать, даже если бы нам этого очень хотелось.

Я презираю тех, кто пытается перечеркнуть поколение шестидесятников. Как правило, это от зависти к сделанному нашим поколением. Но идеализировать нас тоже нельзя. В нас было все изначально перепутано, и другими мы быть, наверное, не могли.

Поэт К., с которым по прихоти судьбы меня связывала юношеская неразборчивая дружба, не был лишен антисемитизма — этого, мягко говоря, недостатка. Он меня пытался убедить в том, что вся история оппортунизма, начинавшаяся с Бунда, а затем продолжавшаяся в Троцком, имеет определенную национальную подоснову. Я спорил с ним до хрипоты. Он упрекал меня в политической близорукости.

Однажды после такого спора он ночевал у меня.

Утром он разбудил меня радостными криками.

В одних трусах, он отплясывал чуть ли не африканский танец торжества, размахивая газетой, где было опубликовано сообщение об аресте врачей-отравителей.

— Видишь! А что я говорил? Это все евреи!

Надо сказать, что я поверил этому сообщению.

Оно меня необыкновенно удручило, но все-таки не вызвало во мне антисемитизма, и радость поэта К. была мне неприятна.

В тот же день мы с поэтом К. пошли в кинотеатр, где шел старый фильм о революции. Один из эпизодов был о еврейском погроме в Одессе. И вот, когда по экрану шли лавочники и уголовники под лозунгами «Бей жидов, спасай Россию!» с булыжниками, к которым прилипли окровавленные волосики еврейских детей, наклонившись к поэту К., я сказал:

– Неужели ты хочешь быть похожим на этих?!

И вдруг, отстранившись от меня, он холодно ответил с металлическими нотками в голосе:

– Мы – диалектики. Не все из прошлого надо отбрасывать, Женя.

Его глаза светились гитлерюгендским блеском.

На отвороте пиджака мерцал комсомольский значок.

Я смотрел на него в ужасе, не в состоянии понять – что за человек сидит рядом со мной.

Несмотря на брезгливость с детства к антисемитизму, я все же поверил тому, что врачи хотели-таки отравить нашего родного товарища Сталина, и написал на эту тему стихи.

К счастью, у меня был Домик Совести. Он находился в Кривоколенном переулке, и в нем когда-то жил поэт Веневитинов. А в 1953 году там жила семья Барласов, сыгравшая огромную спасительную роль в моей жизни: отец – бухгалтер почтамта, мать – фармацевт, сын – геофизик и критик Владимир Барлас, будущий автор первой крупной статьи обо мне, и его жена Лида, тоже геофизик. Они были, как правило, первыми слушателями многих моих стихов. Не изменил я своей традиции и на этот раз, с чувством продекламировав им такие перлы, как «Никто из убийц не будет забыт. Они не уйдут, не ответивши. Пусть Горький другими был убит, убили, мне кажется, эти же...».

На какой-то момент воцарилось тягостное молчание. Потом мать семьи, которая была обычно самая молчаливая, сказала мне с болью:

— Что они делают с вами, нашими детьми... Женя, ведь это все неправда... Эти врачи ни в чем не виновны. Забудьте эти стихи, не показывайте их никому. А то, не дай Бог, их напечатают. Вы же потом никогда не отмоетесь...

Впоследствии я включил этот эпизод в фильм «Похороны Сталина». Меня уговаривали не делать этого, чтобы «не подставляться». Но я сделал это сознательно. Не только для «очистки совести». Этот горький урок может пригодиться. Пусть будущие поэты будут осторожней, когда станут писать «гражданские стихи».

Можно оказаться жестоко наказанным, и, как говорила мама Володи Барласа, «потом никогда не отмоешься».

Но может быть, благодаря тому, что я не уничтожил в своей памяти стыд за то стихотворение, этот стыд и стал соавтором моего «Бабьего Яра»?

ПОХОРОНЫ СТАЛИНА

Пятого марта 1953 года произошло событие, которое потрясло Россию, — умер Сталин. Представить его мертвым было для меня поч-

Евгений Евтушенко в роли скульптора в фильме «Похороны Сталина», 1989 г.

ти невозможным — настолько он мне казался неотъемлемой частью жизни.

Было какое-то всеобщее оцепенение. Люди были приучены к тому, что Сталин думает о них о всех, и растерялись, оставшись без него. Вся Россия плакала, и я тоже. Это были искренние слезы горя и, может быть, слезы страха за будущее.

На писательском митинге поэты прерывающимися от рыданий голосами читали стихи о Сталине. Голос Твардовского — большого и сильного человека — дрожал.

Никогда не забуду, как люди шли к гробу Сталина.

Я был в толпе на Трубной площади. Дыхание десятков тысяч прижатых к друг другу людей, поднимавшееся над толпой белым облаком, было настолько плотным, что на нем отражались и покачивались тени голых мартовских деревьев.

Это было жуткое, фантастическое зрелище. Люди, вливавшиеся сзади в этот поток, напирали и напирали. Толпа превратилась в страшный водоворот. Я увидел, что меня несет на столб светофора. Столб светофора неумолимо двигался на меня. Вдруг я увидел, как толпа прижала к столбу маленькую девушку. Ее лицо исказилось отчаянным криком, которого не было слышно в общих криках и стонах. Меня притиснуло движением к этой девушке, и вдруг я не услышал, а телом почувствовал, как хрустят ее хрупкие кости, разламываемые о светофор. Я закрыл глаза от ужаса, не в состоянии видеть ее безумно выкаченные детские голубые глаза. И меня пронесло мимо. Когда я открыл глаза, девушки уже не было видно.

Ее, наверно, подмяла под себя толпа. Прижатый к светофору, корчился какой-то другой человек, простирая руки, как на распятии. Вдруг я почувствовал, что иду по мягкому. Это было человеческое тело. Я поджал ноги, и так меня понесла толпа. Я долго боялся опустить ноги. Толпа все сжималась и сжималась. Меня спас лишь мой рост. Люди маленького роста задыхались и погибали. Мы были сдавлены с одной стороны стенами зданий, с другой стороны — поставленными в ряд военными грузовиками.

— Уберите грузовики! Уберите! — истошно вопили в толпе.

— Не могу, указания нет! — растерянно кричал молоденький белобрысый офицер милиции с грузовика, чуть не плача от отчаяния. И люди, швыряемые волной движения к грузовикам, разбивали головы о борта. Борта грузовиков были в крови. И вдруг я ощутил дикую ненависть ко всему, что породило это «Указания нет!», когда из-за чьей-то тупости погибали люди. И в этот момент я подумал о человеке, которого мы хоронили, впервые с ненавистью. Он не мог быть не виноват в этом. И именно «Указания нет!» и породило весь этот кровавый хаос на его похоронах. Но отныне и навсегда я понял, что нечего ждать указаний, если от этого зависят жизни человеческие, — надо действовать. Не знаю, откуда во мне явились силы, но я, энергично работая локтями и кулаками, стал расшвыривать людей и кричать им:

— Делайте цепочки! Делайте цепочки!

Меня не понимали. Тогда я стал всовывать руки людей друг другу, ругаясь самыми страшными словами из моего геолого-разведочного лексикона. Несколько крепких парней стали помогать мне. И люди поняли. Люди стали браться за руки, образуя цепочки. Эти парни и я продолжали действовать. Водоворот стал утихать. Толпа перестала быть зверем.

— Женщин и детей в грузовики! — заорал один из парней.

И над головами, передаваемые из рук в руки, поплыли в кузова грузовиков женщины и дети. Одна из передаваемых на руках женщин билась в истерике, что-то выкрикивая. Офицер милиции, приняв женщину в руки, гладил ее по голове, неумело успокаивая. Вдруг женщина вздрогнула несколько раз и затихла. Офицер снял фуражку с белобрысой головы и, закрыв ею застывшее лицо женщины, заревел, как ребенок. А я увидел, что где-то впереди продолжается водоворот.

Мы пошли туда с этими парнями. При помощи мата и кулаков мы снова стали организовывать людей в цепочки, чтобы спасти их.

Милиция наконец тоже стала нам помогать. Все успокоилось.

— Вам бы, товарищ, в милиции надо работать. Нам такие люди нужны, — сказал мне один старшина милиции, вытирая пот платком после этой нелегкой работы.

— Ладно, приберегу это предложение на будущее, — мрачно ответил я. Мне уже почему-то не хотелось идти к гробу Сталина. Я взял одного из тех парней, которые организовывали цепочки, мы купили бутылку водки и пришли ко мне домой.

— Ты видел Сталина? — спросила мама.

— Видел, — необщительно ответил я, чокаясь с этим парнем граненым стаканом.

Я не соврал маме. Я действительно видел Сталина, потому что все происшедшее — это и был Сталин.

Это был поэт Герман Плисецкий, написавший впоследствии гениальное стихотворение «Труба» о похоронах Сталина.

СЦЕНА, СТОЯЩАЯ НА КРОВИ

«Бабий Яр» я закончил поздним вечером, после того как побывал на том страшном месте, и немедленно позвонил в Москву Александру Межирову, прочел по телефону.

— Это нельзя печатать, — сказал он. — Там все спрямлено. Все гораздо сложнее... Ты опозоришься на весь мир.

— Да, там все спрямлено. Но об этом надо заговорить. Может быть, именно так прямо. И сейчас, а не завтра, — сказал я. — Я готов опозориться на весь мир...

Тем же вечером в киевском ресторане я прочел эти стихи друзьям своей юности Ивану Драчу, Ивану Дзюбе, Виталию Коротичу, запоздало пришедшему к нам прямо с дежурства в госпитале. Им это понравилось — тогда мы все понимали друг друга с полуслова.

У меня готовился вечер в Октябрьском зале на Крещатике, и по Киеву пошли слухи о том, что я написал стихи о Бабьем Яре, — эта тема тогда была почти запретной.

Что являлось психологической причиной замалчивания? Боязнь напомнить о преступлении, в котором были замешаны и украинские полицаи. Нежелание вызвать сочувствие к евреям. Вдруг они снова смогут понадобиться для очередного выброса накопившегося озлобления? Антисемитизм, унаследованный от царизма, был секретной политикой партии, чьим гимном парадоксально был «Интернационал».

Одна из самых смешных и одновременно грустных фотографий на свете — это снятый где-то в Америке зажатый, мрачный Косыгин в головном уборе индейского вождя из орлиных перьев, затравленно заявивший на пресс-конференции, что никакого еврейского вопроса в СССР нет и что даже некоторые его личные друзья — евреи.

Он обиделся, не поняв, почему журналисты начали смеяться. Вряд ли его помощники осмелились ему объяснить, что именно этот аргумент насчет «личных друзей» используют американские расисты.

Мой предстоящий вечер киевские власти сначала хотели вообще отменить. Мне пришлось нанести визит в отдел культуры ЦК Украины и возмущенно заявить, что я буду расценивать это как неуважение к русской поэзии. Меня принялись уверять, что никто мой вечер не собирался запрещать, но саботаж продолжали.

Афиши напечатали, но не расклеивали.

Учительница литературы одной из киевских школ и ее ученики взяли расклейку на себя. Однако мои афиши чьи-то ловкие руки заклеивали сверху другими.

Тем не менее зал был переполнен.

Тогда я еще не знал, что под сценой Октябрьского зала, находящегося на холме, скрыты тайные подвалы КГБ, где было замучено столько людей.

Какой парадокс истории, что стихи о безвинно пролитой крови я читал, стоя на сцене, которая сама покачивалась, как плот, на крови, пролитой нашими отечественными фашистами.

ЧЕЛОВЕК, НАПЕЧАТАВШИЙ «БАБИЙ ЯР»

Я отнес стихотворение в редакцию «Литературной газеты» и прочитал его своему приятелю Всеволоду Ревичу, работавшему там. Он немедленно побежал в соседние комнаты, привел коллег и заставил меня еще раз прочитать его вслух. Затем спросил:

В.А. Косолапов

— Нельзя ли копию сделать? Я хотел бы, чтобы у меня было это стихотворение...

— И нам, и нам копии, — стали просить коллеги.

— То есть как копии? — недоуменно спросил я. — Я же принес его печатать...

Все молча переглянулись. Никому это даже в голову не приходило.

Потом один из журналистов, горько усмехнувшись, сказал:

— Вот он, проклятый Сталин, как в нас еще сидит...

И подписал стихи в номер.

— Ты не уходи, — сказал мне мой приятель. — Еще редактор не читал. Может быть, вопросы будут...

Часа два, нервничая, я сидел в одной из редакторских комнат. Поминутно заглядывали журналисты из всех отделов, говорили какие-то успокаивающие слова, но весьма неуверенными голосами. Машинистки приносили конфеты. Вдруг открылась дверь и появился старичок наборщик в рабочем халате:

— Ты Евтушенко будешь? Дай руку, сынок. Я набрал твой «Бабий Яр»... Правильная вещь! Все рабочие у нас в типографии читали и одобряют... Я, брат, в молодости в рабочей дружине участвовал. Евреев от погромщиков защищали.

Старичок что-то еще говорил, и мне как-то спокойнее становилось на душе.

Наконец меня попросили зайти к редактору. Редактор В. А. Косолапов — немолодой уже человек — поглядел на меня своими хитрыми крестьянскими глазами из-под седых клочковатых бровей. Эти глаза много повидали на своем веку.

— Хорошие стихи, — с расстановкой сказал редактор, испытующе глядя на меня.

По своей практике я знал, что когда начинают с этой фразы, то стихи затем обычно не идут.

— Правильные стихи, — так же с расстановкой продолжал редактор.

Ну теперь-то уж я совершенно был уверен, что стихи не пойдут.

— Будем печатать, — сказал редактор.

Обычная хитринка вдруг исчезла из его глаз. Его глаза посуровели.

— Конечно, может быть всякое... Ты это учти.

— Я учитываю, — ответил я.

Я снова возвратился в редакторскую комнату. Завтрашний номер выходил обычно в семь вечера. Все журналисты, уже окончившие свою работу, остались — тоже ждали номера. Пробило семь часов. Редактор еще не подписал номера. Пробило восемь. Редактор зачем-то послал машину за своей женой на дачу. Пробило девять. Ко мне зашла молодая красивая женщина — главный инженер типографии — и молча показала уже готовые листы, только на том месте, где должно было стоять мое стихотворение, зияло белое пятно. Пробило одиннадцать. К редактору приехала его жена. В половине двенадцатого редактор попросил меня зайти.

— Я пойду с вами! — нервно сказала женщина-инженер. – Если что-нибудь не так, я скажу, что уже невозможно не напечатать... Сошлюсь на какие-нибудь технические причины.

Мы зашли.

Редактор и его жена уже в пальто стояли над листами.

Женщина-инженер, увидев, что листы с моим стихотворением подписаны редактором, схватила их и, весело, как девчонка, припрыгивая, помчалась в типографию.

— С женой я решил посоветоваться, — сказал редактор. — Она мой большой друг... Видите, и она одобрила... Идите смотреть, как сейчас стихи из-под машины будут вылетать.

Я спустился в типографию. Рабочие пожимали мне руку. Женщина-инженер махнула рукой, и машина заработала. И вдруг что-то затрещало, грохнуло, и машина остановилась. Я был настолько взвинчен, что совершенно оцепенел. Старичок наборщик ласково тронул меня за плечо:

— Одну минуточку потерпи еще, сынок.

И машина снова заработала, и первые экземпляры газеты один за другим стали падать к моим ногам.

— Завтра эта газета станет библиографической редкостью, — сказала женщина-инженер, протягивая мне охапку номеров.

Я расцеловался и с ней, и с рабочими. Мне казалось, что мы вместе написали эти стихи.

На следующий день все номера «Литературной газеты» были распроданы в киосках молниеносно. Уже в первый день я получил множество телеграмм от незнакомых мне людей. Они поздравляли меня от всего сердца. Но радовались не все.

Через несколько дней газета «Литература и жизнь» опубликовала стихи Алексея Маркова, написанные в ответ на «Бабий Яр», где я назывался пигмеем, забывшим про свой народ, а еще через три дня та же газета в обширной статье обвинила меня в том, что я попираю ленинскую интернациональную политику и возбуждаю вражду между народами. Обвинение чудовищнее и нелепее этого трудно было представить! И стихи А. Маркова, и статья вызвали огромную волну общественного возмущения. Я был завален письмами, идущими со всей страны. Я получил на «Бабий Яр» несколько тысяч писем, и лишь тридцать – сорок из них были написаны в агрессивном тоне.

Однажды утром ко мне пришли два молодых человека, роста примерно метр девяносто каждый, со значками «Мастер спорта» на пиджаках, и объяснили, что их прислала меня охранять комсомольская организация их института.

— Охранять? От кого? — удивился я.

Молодые люди смущенно пояснили мне, что, конечно, народ очень хорошо принял мое стихотворение, но у нас и сволочи тоже попадаются. Так они сопровождали меня, как тени, несколько дней. Я потом поближе познакомился с ними, и выяснилось, что они сами вовсе не являются большими знатоками поэзии. Комсомольская организация выделила их по принципу физической силы — один из них был боксером, другой — борцом. Это было немножко смешно, но в общем необыкновенно трогательно.

...Косолапова, конечно, сняли.

КРАСИВЫЕ ГЛАЗА

«Литературка»,
как мы постарели...
Сквозь скорлупу всех партпостановлений
нечаянно проклюнувшись едва,
я был похож на Первое Апреля:
еще никто, пока меня не взгрели,
всерьез не принимал мои слова.
Но подошло, наверно, время взгрева
за первый всплеск гражданственного гнева,
и в этом была Партия права —
спасибо тебе,
Сталина вдова!
И я с тех пор, как оказался взгретым,
стал наконец-то все-таки поэтом,
когда узнал, как бьет с носка Москва.

Валерий Алексеич Косолапов,
был не похож на тех, кого не счесть,
редакторов, цинично кисловатых,

боящихся за кресло —
не за честь.
Тогда казалось мне, что был он стар,
когда, задумав сотрясти земшар,
наивнячок, подобный полудурку,
в многострадальную «Литературку»
принес я бесприютный «Бабий Яр».
Один знакомец —
милое трепло —
сказал, в глазах изобразив печальность:
«Ну в общем-то, старик, совсем непло... —
Но вдруг споткнулся, как об НЛО:
— Постой, и это хочешь ты ПЕЧАТАТЬ?»
А Косолапов улыбнулся мне.
Искрилось в нем крестьянское лукавство,
а это самолучшее лекарство
от страха
в так запуганной стране:
«Да,
не соскучится с тобою государство...
Ты обожди.
Я позвоню жене». —
«Зачем?» —
насторожился я невольно,
весь в предвкушенье сладостного «за».
«Да потому что буду я уволен...» —
«За что?» —
«Да за красивые глаза...»
Жена —
ну впрямь со станции Зимы,
как будто бы одетая в пимы,
с плечищами, как будто у Поддубного,
приехала,
сказала:
«Мы подумали
и ничего другого не придумали —

решили быть уволенными мы».
Малюсенькое «за» —
большого роста,
когда потом придется, и непросто,
за это головою отвечать.
Стихи писать —
не главное геройство.
Был высший подвиг —
подписать в печать.
Подписывали,
ручки изгрызя,
рисковые редакторы России.
Ну что же,
быть уволенным —
красиво
за «за»
и за красивые глаза.

2004

КТО-ТО, КТО НАЗВАЛ СЕБЯ ШОСТАКОВИЧЕМ

В конце марта 62-го года раздался телефонный звонок.

Подошла моя жена Галя.

Вернулась довольно раздраженная.

— Вечно тебе звонят какие-то наглецы. Сейчас позвонил кто-то, назвал себя Шостаковичем... Почему к тебе прилипает столько проходимцев?

Звонок повторился.

Она подошла снова.

Из трубки раздался вежливый голос:

— Простите, мы с вами не знакомы, но это действительно Шостакович. Если хотите, запи-

1962 г.

шите мой телефон и проверьте... Скажите, пожалуйста, Евгений Александрович дома?

– Дома. Работает. Я его сейчас позову.

– Работает? Зачем же его отрывать?.. Я ему могу позвонить в любое другое время, когда ему будет удобно...

(В этом был весь Шостакович. Он понимал, что такое работа. Как не похожа тактичность истинного гения на бестактность некоторых молодых кандидатов в гении, врывающихся иногда в квартиру или на дачу с требованием немедленно прочесть их стихи и не обращающих внимания даже на то, что в твоей семье кто-то болен или ты по горло занят сам...)

Побледневшая жена протянула мне трубку на длинном шнуре, как драгоценность, и прошептала:

– Кажется, это действительно он...

Я был, конечно, тоже взволнован.

Шостакович разговаривал со мной смущенно и сбивчиво в своей старомодно вежливой манере.

— Дорогой Евгений Александрович, я прочитал ваше стихотворение «Бабий Яр», и оно глубочайше тронуло меня. Не будете ли вы так добры и не дадите ли ваше милостивое разрешение сочинить на эти стихи одну... одну... я даже не знаю, как выразиться... одну штуку...

— Конечно... разумеется... Я буду только счастлив... — что-то невразумительно лепетал я.

— О, как я благодарен вам за ваше любезное разрешение... — продолжал Шостакович. — А вы не могли бы приехать ко мне сейчас? Эта штука... эта штука... ну, в общем, она уже готова...

Нечего и говорить, что мы с женой немедленно поехали к нему. Он проиграл нам и спел только что законченную вокально-симфоническую поэму «Бабий Яр».

Потом он сказал:

— Вы знаете — я чувствую, что это надо расширить, углубить. Когда-то я написал одно произведение о страхах... О наших страхах, отечественных... А мою музыку стали интерпретировать, перенося весь акцент на гитлеровскую Германию. У вас нет еще каких-нибудь других стихов — например, о страхах? Для меня ведь это уникальная возможность высказаться не только при помощи музыки, а при помощи ваших стихов тоже. Тогда уже никто не сможет приписывать моей музыке совсем иной смысл...

Я подарил ему мою книжку «Взмах руки», а вскоре написал стихи «Страхи», к сожалению изуродованные цензурой, из-за чего три плохие строфы, до сих пор мучающие меня, попали в руки Шостаковича да так и остались в его гениальной музыке, хотя в книжных изданиях я их беспощадно выбрасываю.

Бывшая вокально-симфоническая поэма неостановимо начала разрастаться в симфонию. 5 июля Шостакович закончил «Юмор». 9 июля — «В магазине». 16 июля — «Страхи». 20 июля — «Карьеру».

Наконец в последних числах июля он пригласил меня домой, поставил на рояль клавир, где было написано «Тринадцатая симфония». Он дергался. У него уже тогда болела рука, играть ему было трудно. Меня потрясло то, как он нервничает, как заранее оправдывается передо мной и за больную руку, и за плохой голос. И вот он начал играть и петь.

НУ КАК?

К сожалению, это не было никем записано, а пел он тоже гениально — голос у него был никакой, с каким-то странным дребезжанием, как будто что-то было сломано внутри голоса, но зато исполненный неповторимой, не то что внутренней, а почти потусторонней силы. Шостакович кончил играть, не спрашивая ничего, быстро повел меня к накрытому столу, судорожно опрокинул одну за другой две рюмки водки и только потом спросил: «Ну как?» В Тринадцатой симфонии меня ошеломило прежде всего то, что если бы я (полный музыкальный невежда) вдруг прозрел слухом, то написал бы абсолютно такую же музыку. Более того — прочтение Шостаковичем моих стихов было настолько интонационно и смыслово точным, что казалось, он, невидимый, был внутри меня, когда я писал эти стихи, и сочинил музыку одновременно с рождением строк. Меня ошеломило и то, что он соединил в этой симфонии стихи, казалось бы совершенно несоединимые. Реквиемность «Бабьего Яра» с публицистическим выходом в конце и щемящую, простенькую интонацию стихов о женщинах, стоящих в очередях, ретроспекцию всех памятных стихов с залихватскими интонациями «Юмора» и «Карьеры». Когда была премьера симфонии, на протяжении пятидесяти минут со слушателями происходило нечто очень редкое: они и плакали, и смеялись, и улыбались, и задумывались. Ничтоже сумняшеся, я все-таки сделал одно замечание Шостаковичу: конец Тринадцатой симфонии мне показался слишком нейтральным, слишком выходящим за пределы текста. Дурак тогда я был и понял только впоследствии, как нужен был такой конец, именно потому, что этого-то и недоставало в стихах — выхода к океанской, поднявшейся над суетой и треволнениями происходящего, вечной гармонии жизни. Точно так же Шостакович написал и «Казнь Степана Разина» — иной музыки я и представить не могу. Однажды в США я выдержал даже бой за эту музыку с композитором Бернстайном, считавшим тогда, что музыка Шостаковича хуже моих стихов. В Бернстайне, я думаю, все-таки прорвалось что-то слишком «композиторское», слишком профессиональное, искушенность профессионала помешала принимать искусство первозданным чувством.

Когда я впервые читал «Казнь Степана Разина» еще по клочкам рукописного черновика трем нашим знаменитым поэтам — Вознесенскому, Ахмадулиной, Окуджаве, — они реагировали весьма скептически.

— Ну, Женя, это не из твоих лучших, но и не из худших вещей, — уклончиво пробормотал Вознесенский.

Окуджава, несмотря на свою обычную сдержанность кавказского аристократа, почти закричал на меня:

— Как ты можешь воспевать этого убийцу, разбойника?!

Самой мягкой была Белла:

— Женечка, ну ты же знаешь, — я бы тебя любила, даже если бы ты и не писал стихов.

Во время работы над «Степаном Разиным» Дмитрий Дмитриевич неожиданно начинал мучиться, звонил мне: «А как вы думаете, Евгений Александрович, Разин был хорошим человеком? Все-таки он людей убивал, много кровушки невинной пустил...» Шостаковичу очень нравилась другая глава из «Братской ГЭС» — «Ярмарка в Симбирске»; он говорил, что это в чистом виде оратория, хотел написать, но какие-то сомнения не позволяли. Между прочим, на композицию всей поэмы «Братская ГЭС», построенную именно по принципу, казалось бы, несоединимого, я бы никогда не решился, если бы мне не придала смелости Тринадцатая симфония.

ЛЖИВАЯ ЛЕГЕНДА

На Западе впоследствии была пущена в ход легенда о том, что я под давлением правительства якобы написал вторую версию «Бабьего Яра», совершенно противоположную первой. Этого никогда не было. Оставляю эту легенду на совести тех, кто стал слишком забывчив и хочет сегодня представить прошлое таким образом, что только они были честными. Возвышение самих себя за счет унижения других —

не самый лучший вид гуманизма. Вот как было на самом деле. Исполнение Тринадцатой симфонии Шостаковича действительно оказалось под угрозой запрета по двум причинам. Во-первых, я находился под огнем официальной критики и каждую мою строку рассматривали в лупу, выискивая крамолу. Во-вторых, шовинисты после публикации «Бабьего Яра» обвинили меня в том, что в стихотворении не было ни строки о русских и украинцах, расстрелянных вместе с евреями. Идеологические нашептыватели спровоцировали Хрущева еще до исполнения Тринадцатой симфонии, доложив ему, что я представил трагедию войны так, как будто фашисты убивали только евреев, не трогая русских. Словом, меня обвинили в оскорблении собственного народа. Поэт Алексей Марков опубликовал в газете «Литература и жизнь» свой стихотворный ответ на «Бабий Яр», где были такие строки:

> Какой ты настоящий русский,
> Когда забыл про свой народ?
> Душа, что брючки, стала узкой,
> Пустой, что лестничный пролет.

Ситуация была такой, что певцы и дирижеры бежали с Тринадцатой симфонии, как крысы с тонущего корабля. В последний момент отказался петь украинский певец Борис Гмыря — ему пригрозили антисемиты. Отказался ленинградский дирижер Евгений Мравинский, выбранный Шостаковичем. Дирижировать взялся Кирилл Кондрашин, петь — молодой певец Виталий Громадский. На репетициях в консерватории собиралось множество людей — все были уверены, что официальную премьеру запретят. Накануне Кондрашина вызвали куда-то «наверх» и сказали, что не разрешат исполнения, если в тексте не будет упоминания о русских и украинских жертвах. Эти жертвы действительно были, и никто не толкал меня на ложь. Но конечно, это было грубым, бестактным вмешательством, ибо было не советом, а условием исполнения. Что оставалось делать? Я с ходу написал:

Я здесь стою,
как будто у криницы,
дающей веру в наше братство мне.
Здесь русские лежат
и украинцы,
с евреями лежат в одной земле.

Не могу сказать, что эти строки поэтически что-то добавляют к стихотворению. Но они ничего не меняют в стихотворении, и вся легенда о второй, «противоположной» версии — клевета. Второй версии «Бабьего Яра» нет. Я показал эти строки Шостаковичу, и с его согласия они были включены в симфонию. Прав ли был я тогда, пойдя на этот компромисс? Думаю, что прав. Иначе, может быть, человечество услышало бы гениальное произведение Шостаковича лишь через двадцать пять лет — во времена гласности. Не забывайте, что это было первое стихотворение против антисемитизма, напечатанное в советской прессе после стольких антисемитских кампаний сталинского времени. Тринадцатая симфония была одним из первых младенческих криков гласности из ее колыбели. Гласность полузадушили в колыбели, как младенца, но все-таки младенец выжил, докричался до сегодняшнего времени.

Шостакович предложил мне создать новую симфонию на тему «Муки совести». Из этого получилось, к сожалению, только мое стихотворение, ему посвященное. Задумывали мы и оперу на тему «Иван-дурак», но не успелось. Шостакович был в расцвете своих творческих сил, когда смерть оборвала его жизнь.

ГЕНИЙ ВЫШЕ ЖАНРА

Ушел не только великий композитор, но и великий человек. Гений выше ремесла. Произведения ремесленников могут прожить иногда долго, но лишь как достояние определенного жанра. Гений выше жанра. Принадлежность истории не означает неверности музам, а символизирует высшую, гениальную степень этой верности.

Талант Шостаковича был по-пушкински всеобъемлющ — он был мастером камерного лиризма, утонченным метафизическим философом (Четырнадцатая симфония на тему смерти и бессмертия), был едким сатириком («Нос», «Клоп», блистательная ранняя импровизация на тему заявлений жильцов коммунальной квартиры), был звонким неповторимым песенником («Не спи, вставай, кудрявая...»), могучим оперным эпиком, обворожительным джазовым импровизатором и даже не гнушался попытками создать легкую, искрящуюся оперетту, хотя здесь его ждали неудачи.

Как трогательно предупредителен он был, узнав о чьей-то беде, болезни, безденежье. Скольким композиторам он помог не только своей музыкой, но и своей поддержкой. Гений выше и такого не лучшего жанра человеческого поведения, как зависть. Говоря об одном композиторе, Шостакович вздохнул однажды: «Подловат душонкой... А как жаль. Такое музыкальное дарование...» Сразу всплыло: «...Гений и злодейство — две вещи несовместные». Дарование может быть, к несчастью, и у подлеца. А вот гениальности он уже сам себя лишает.

Из современных иностранных композиторов Шостакович очень любил Бенджамина Бриттена и дружил с ним. Однажды мы слушали вдвоем «Военный реквием» Бриттена, и Шостакович судорожно ломал пальцы: так он плакал — руками. Шостакович был не только великим композитором, но и великим слушателем и великим читателем. Он знал превосходно не только классическую литературу, но и современную, жадно следил за всем самым главным в прозе, поэзии — и каким-то особенным чутьем умел находить это самое главное среди потока серости и спекуляции. Он был непримирим в своих личных беседах к конъюнктурщине, трусости, подхалимству так же откровенно, как был добр и нежен ко всему талантливому. К сожалению, насколько мне нравились эти его суждения в узком кругу, настолько не нравились многие его статьи, доклады. Это были пустые восхваления партии, социалистического реализма. Практически это не было написано Шостаковичем, а лишь подписано им. Я однажды упрекнул за это Дмитрия Дмитриевича. Он был человек совестливый, беспощадный к себе и признал, что я прав, но грустно объяснил: «Однажды когда-то я подписался под словами, которых не думал, и с той поры что-то со мной произошло — я стал равнодушен к подписанным мной словам. Но зато в музыке я ни разу не подписал ни одной ноты, о которой бы я не думал... Может быть, мне хотя бы за это простится...»

Весной 1968 года произошел такой случай. Я был у Шостаковича и говорил с ним о «пражской весне» — с надеждой и тревогой. Тревога моя объяснялась тем, что в наших центральных газетах начали появляться статьи, критикующие чехословацкую «гласность» как якобы «предательство социализма». За такими словами могли последовать действия. Шостакович нервничал, дергался, судорожно хватался за рюмку, потом вдруг побежал в соседнюю комнату и показал мне открытое письмо деятелей советской культуры против «пражской весны».

— А я вот подпишу. Да, подпишу... Мало ли что я подписывал в своей жизни... Я человек сломанный, конченый... — издевался Шостакович над собой.

— Дмитрий Дмитриевич, ради Бога, не подписывайте этого письма, — сказал я. — Ведь этим вы можете дать опасный пример всем молодым композиторам... Ведь они же потом смогут сказать себе: «Ну, если даже Шостакович подписывает все, что от него хотят, то почему же и мне не ставить свою подпись...» Дмитрий Дмитриевич, не подписывайте этого письма... Ведь от него зависят чужие человеческие жизни. Ведь подписанные вами слова потом могут превратиться в танки...

Шостакович затрясся, смял письмо:

Евгений Евтушенко, 1960 г.

— Хорошо, хорошо... Не подпишу... — И выбежал в соседнюю комнату. Его не было минут пять. Когда он вернулся, лицо у него было пепельное, неподвижное, как маска. В тот вечер он не сказал больше ни единого слова.

Не ошибавшихся людей нет, но надо находить в себе смелость, как Шостакович, хотя бы перед самим собой осудить свои слабости. А ведь некоторые люди не только не умеют заглянуть внутрь себя оком справедливого и жестокого судьи, но и пытаются выдать свои слабости за убеждения.

Шостакович рассказывал мне, как во время работы над музыкой к спектаклю «Клоп» он впервые встретился с Маяковским. Маяковский был тогда в плохом, изнервленном настроении, от этого держался с вызывающей надменностью и протянул юному композитору два пальца. Шостакович, несмотря на весь пиетет к великому поэту, все-таки не сдался и протянул ему в ответ один палец. Тогда Маяковский дружелюбно расхохотался и протянул ему всю пятерню: «Ты далеко пойдешь, Шостакович...» Маяковский оказался прав.

Шостакович с нами, в нас, но он уже и не только с нами, он уже далеко — в завтрашней музыке, в завтрашней истории, в завтрашнем человечестве.

КАМНИ — В БУЛГАКОВА

В 1991 году, делая утреннюю пробежку на берегу Днепра в тенистом киевском парке, я ошеломленно остановился. На скульптурной композиции, посвященной дружбе украинского и русского народов, огромными черными буквами было намазюкано: «Жиди та москалі геть з України!»

Это было бы мерзко в любое утро, но в то утро — пятидесятилетия массового убийства десятков тысяч евреев в Бабьем Яре — это было особенно отвратительно.

В тот же день работники дома-музея Булгакова рассказали мне, что ночью им выбили окна камнями.

— Кто? – подавленно спросил я.

— Они не представились...

— Почему они выбили окна?

— Не могут простить Булгакову того, что он описал петлюровские погромы.

Правда, петлюровцы на фоне своих жертв сами себя все-таки не фотографировали...

По всему Крещатику стояли разоблачительные стенды с фотографиями нацистского зверства, сделанными самодовольными палачами, — понурые толпы детей, женщин, стариков, сгоняемые к их общей могиле, белые горы тел, сверкающие сапоги убийц у края оврага.

Но даже такое прямое напоминание о том, что произошло здесь в сорок первом году, не остановило осквернителей.

Украинские власти лишь через тридцать лет наконец-то соизволили заметить существование Тринадцатой симфонии Шостаковича, первой частью которой был реквием жертвам Бабьего Яра, и скрепя сердце вынуждены были пригласить меня на ее исполнение. Ведь многие годы я мог выступать даже во франкистской Испании, даже в салазаровской Португалии, но только не в стольном граде Киеве, где у моей поэзии было столько верных друзей.

Ведь не случайно и депутатом я был выбран именно на Украине.

Но не удалось отделаться от памяти громоздким бесчувственным монументом в Бабьем Яре, на котором застенчиво не была упомянута национальность большинства убитых.

«Заиграть» пятидесятилетие трагедии, ставшей всемирно известной благодаря именно Тринадцатой симфонии, было уже невозможно, а без нее отмечать горестную годовщину было как-то неприлично. Пришлось пригласить и меня.

Придя к Бабьему Яру, я, к своему удивлению, увидел огромный щит с двумя цитатами: одна — из моего стихотворения, а рядом другая — тоже о Бабьем Яре, подписанная поэтом Дмытром Павлычко.

Он написал это стихотворение к такому же заказному опусу, сочиненному местным композитором, когда это перестало быть опасным.

Но соревноваться с Шостаковичем была задача непосильная. Прослушав Тринадцатую симфонию и лишь самое начало следующего музыкального номера, многие киевляне и гости начали потихоньку уходить.

А на банкете после концерта царила биржевая, лоббистская атмосфера: обменивались визитными карточками, договаривались о сделках.

Боже мой, на человеческой трагедии делать бизнес! Но разве так не бывало в истории?

Хорошо, что там не было Дмитрия Дмитриевича...

Но впрочем, он там, где его музыка, а она — везде...

Конверты пластинок и компакт-дисков с записями Тринадцатой симфонии Д. Шостаковича

1991 г.

БАБИЙ ЯР

Над Бабьим Яром памятников нет.
Крутой обрыв, как грубое надгробье.
Мне страшно.
Мне сегодня столько лет,
как самому еврейскому народу.
Мне кажется сейчас —
я иудей.
Вот я бреду по древнему Египту.
А вот я, на кресте распятый, гибну,
и до сих пор на мне – следы гвоздей.
Мне кажется, что Дрейфус –
это я.
Мещанство –
мой доносчик и судья.
Я за решеткой.
Я попал в кольцо,
затравленный,
оплеванный,
оболганный.
И дамочки с брюссельскими оборками,
визжа, зонтами тычут мне в лицо.
Мне кажется —
я мальчик в Белостоке.
Кровь льется, растекаясь по полам.
Бесчинствуют вожди трактирной стойки
и пахнут водкой с луком пополам.
Я, сапогом отброшенный,
бессилен.
Напрасно я погромщиков молю.

Под гогот:
«Бей жидов, спасай Россию!» —
насилует лабазник мать мою.
О, русский мой народ!
Я знаю —
ты
по сущности интернационален.
Но часто те, чьи руки нечисты,
твоим чистейшим именем бряцали.
Я знаю доброту твоей земли.
Как подло,
что, и жилочкой не дрогнув,
антисемиты пышно нарекли
себя «Союзом русского народа»!
...Мне кажется —
я — это Анна Франк,
прозрачная,
как веточка в апреле.
И я люблю.
И мне не надо фраз.
Мне надо,
чтоб друг в друга мы смотрели.
Как мало можно видеть,
обонять!
Нельзя нам листьев
и нельзя нам неба.
Но можно очень много —
это нежно
друг друга в темной комнате обнять.
Сюда идут?
Не бойся — это гулы
самой весны —
она сюда идет.
Иди ко мне.
Дай мне скорее губы.

Ломают дверь?
Нет — это ледоход...
Над Бабьим Яром шелест диких трав.
Деревья смотрят грозно,
по-судейски.
Все молча здесь кричит,
и, шапку сняв,
я чувствую,
как медленно седею.
И сам я,
как сплошной беззвучный крик,
над тысячами тысяч погребенных.
Я –
каждый здесь расстрелянный старик.
Я –
каждый здесь расстрелянный ребенок.
Ничто во мне
про это не забудет!
«Интернационал»
пусть прогремит,
когда навеки похоронен будет
последний на земле антисемит.
Еврейской крови нет в крови моей.
Но ненавистен злобой заскорузлой
я всем антисемитам,
как еврей,
и потому —
я настоящий русский!

1961

ЮМОР

Цари,
короли,
императоры,
властители
всей земли
командовали парадами,
но юмором —
не могли.
В дворцы именитых особ,
все дни возлежащих выхоленно,
являлся бродяга Эзоп,
и нищими
они выглядели.
В домах,
где ханжа наследил
своими ногами щуплыми,
всю пошлость
Ходжа Насреддин
сшибал,
как шахматы,
шутками.
Хотели
юмор
купить —
да только
его
не купишь!

Хотели
юмор
убить —
а юмор
показывал
кукиш!
Бороться с ним —
дело трудное.
Казнили его без конца.
Его голова отрубленная
качалась на пике стрельца.
Но лишь скоморошьи дудочки
свой начинали сказ,
он звонко кричал:
«Я туточки!» —
и лихо пускался в пляс.
В потрепанном куцем пальтишке,
понурясь
и вроде каясь,
преступником политическим
он,
пойманный,
шел на казнь.
Всем видом покорность выказывал,
готов к неземному житью,
как вдруг из пальтишка выскальзывал,
рукою махал,
и тю-тю!
Юмор
прятали в камеры,
но черта с два удалось.
Решетки и стены каменные
он проходил насквозь.
Привык он ко взглядам сумрачным,
но это ему не вредит,
и сам на себя с юмором

юмор порой глядит.
Он вечен.
Он, ловок и юрок,
пройдет через все,
через всех.
Итак,
да славится юмор!
Он –
мужественный человек!

1960

В МАГАЗИНЕ

Кто в платке, а кто в платочке,
как на подвиг, как на труд,
в магазин поодиночке
молча женщины идут.

О, бидонов их бряцанье,
звон бутылок и кастрюль!
Пахнет луком, огурцами,
пахнет соусом «Кабуль».

Зябну, долго в кассу стоя,
но, покуда движусь к ней,
от дыханья женщин стольких
в магазине все теплей.

Они тихо поджидают —
боги добрые семьи,
и в руках они сжимают
деньги трудные свои.

Это женщины России —
это наша честь и суд.
И бетон они месили,
и пахали, и косили.
Все они переносили,

Все они перенесут.
Все на свете им посильно –
столько силы им дано.
Их обсчитывать постыдно,
их обвешивать грешно.

И, в карман пельмени сунув,
я смотрю, смущен и тих,
на усталые от сумок
руки праведные их...

24 декабря 1957

СТРАХИ

Умирают в России страхи,
словно призраки прежних лет,
лишь на паперти, как старухи,
кое-где еще просят на хлеб.

Я их помню во власти и силе
при дворе торжествующей лжи.
Страхи всюду, как тени, скользили,
проникали во все этажи.

Потихоньку людей приручали
и на все налагали печать.
Где молчать бы — кричать приучали
и молчать — где бы надо кричать.

Страхи нас пробирали морозом.
Только вспомнишь — знобит и теперь
тайный страх перед чьим-то доносом
или страх перед стуком в дверь.

Ну а страх говорить с иностранцем?
С иностранцем-то что. А с женой?
Ну а страх беспредельный — остаться
после маршей вдвоем с тишиной?

Не боялись мы строить в метели,
уходить под снарядами в бой,
но боялись порою смертельно
разговаривать сами с собой.

Будь свободна, как Волга в разливе,
но запомни те страшные дни,
победившая страхи Россия,
и бесстрашье свое сохрани!

Совесть — главное наше богатство.
Пожелаем нам всем одного:
только совести нашей бояться,
ну а кроме нее — никого.

Пусть не смеет ни пытки, ни плахи
воскресить на Руси кто-нибудь.
Пусть уж если останутся страхи —
это страхи людей обмануть.

И когда я пишу эти строки
и порою невольно спешу,
то пишу их в единственном страхе —
что в неполную силу пишу...

1962, 2000

В течение тридцати восьми лет со дня премьеры Тринадцатой симфонии в Москве на каждом ее исполнении в разных странах и городах нашей страны, куда меня приглашали, меня мучили своей вялой риторикой три четверостишия. Они были вписаны мной в первоначальный текст в спешке, чтобы спасти публикацию стихотворения «Страхи» от цензурной гильотины еще до симфонии, но Шостакович этого не знал и написал на них музыку. Просто-напросто выбросить эти строки из текста было невозможно, надо было написать новый текст, а он у меня никак не получался. Только после неудачной операции в нью-йоркском госпитале, испугавшись того, что я могу умереть, а три моих слабых четверостишия так и останутся в гениальной симфонии, я собрался с силами и написал другой вариант, может быть, тоже несовершенный, но все-таки лучший — о совести как о главном человеческом богатстве. Эти новые строки выделены курсивом и в русском, и в английском тексте и впервые были исполнены Пражским национальным оркестром под управлением Владимира Ашкенази в Линкольн-центре, в Нью-Йорке, в 2000 году.

КАРЬЕРА

Ю. Васильеву

Твердили пастыри, что вреден
и неразумен Галилей,
но, как показывает время:
кто неразумен, тот умней.

Ученый, сверстник Галилея,
был Галилея не глупее.
Он знал, что вертится Земля,
но у него была семья.

И он, садясь с женой в карету,
свершив предательство свое,
считал, что делает карьеру,
а между тем губил ее.

За осознание планеты
шел Галилей один на риск.
И стал великим он... Вот это
я понимаю — карьерист!

Итак, да здравствует карьера,
когда карьера такова,
как у Шекспира и Пастера,
Гомера и Толстого... Льва!

Зачем их грязью покрывали?
Талант — талант, как ни клейми.
Забыты те, кто проклинали,
но помнят тех, кого кляли.

Все те, кто рвались в стратосферу,
врачи, что гибли от холер, —
вот эти делали карьеру!
Я с их карьер беру пример.

Я верю в их святую веру.
Их вера — мужество мое.
Я делаю себе карьеру
тем, что не делаю ее!

1957

Эхо Тринадцатой симфонии

В ЦК поступают письма, в которых высказывается беспокойство по поводу того, что в иных произведениях в извращенном виде изображается положение евреев в нашей стране... В декабре на нашей встрече мы уже касались этого вопроса в связи со стихотворением поэта «Бабий Яр»... За что критикуется это стихотворение? За то, что его автор не сумел правдиво показать и осудить фашистских, именно фашистских преступников за совершенные ими массовые убийства в Бабьем Яру. В стихотворении дело изображено так, что жертвами фашистских злодеяний было только еврейское население, в то время как от рук гитлеровских палачей там погибло немало русских, украинцев и советских людей других национальностей. Из этого стихотворения видно, что автор не проявил политическую зрелость и обнаружил незнание исторических фактов... У нас не существует еврейского вопроса, а те, кто выдумывает его, поют с чужого голоса... Совсем недавно поэт Евгений Евтушенко совершил поездку в Западную Германию и во Францию. Он только что вернулся из Парижа, где выступал перед многотысячными аудиториями рабочих, студентов, друзей Советского Союза. Тов. Евтушенко, надо отдать ему должное, во время этой поездки вел себя достойно. Но и он, если верить журналу «Леттр Франсэз», тоже не удержался от соблазна заслужить похвалу буржуазной публики. Поэт странным образом информировал своих слушателей об отношении у нас в стране к его стихотворению «Бабий Яр», сообщив им, что его стихотворение принято народом, а критиковали его догматики. Но ведь широко знают, что стихотворение тов. Евтушенко критиковали коммунисты. Как же можно забывать об этом и не делать для себя никаких выводов?

Н. Хрущев. Высокая идейность и художественное мастерство – великая сила советской литературы и искусства. Речь на встрече руководителей партии и правительства с деятелями литературы и искусства 8 марта 1963 г. («Правда», 10 марта 1963 г.)

...Видеть в трагедии Бабьего Яра лишь один из исторических примеров проявления антисемитизма?! Против этого вопиют судьбы погибших там людей, неразрывно, сотнями зримых и незримых нитей связанные с судьбами и всех других павших в те страшные годы, и всех переживших их, и всех победивших... Свободно и легко чувствует себя Евтушенко на незавидном поприще вольного или невольного разжигания угасающих националистических предрассудков. Это свобода от правдивости, от ответственности за свои слова... Сейчас дружба народов крепка и монолитна, как никогда. Почему же сейчас редколлегия всесоюзной писательской газеты позволяет Евтушенко оскорблять торжество ленинской национальной политики такими сопоставлениями и «напоминаниями», которые иначе как провокационными расценить невозможно? ...источник той нестерпимой фальши, которой пронизан его «Бабий Яр», — очевидное отступление от коммунистической идеологии на позиции идеологии буржуазного толка. Это неоспоримо.

Д. Стариков. Об одном стихотворении («Литература и жизнь», 27 сентября 1961 г.)

19, 20, 21 марта в Минске исполнялась Тринадцатая симфония Д. Шостаковича. ЦК КПСС уже имеет об этом произведении определенное мнение. Но, может быть, Вы не знаете всего того, что происходит вокруг него... Первые же звуки симфонии как-то ощутимо разделили зал на евреев и неевреев. Евреи не стеснялись в проявлении своих чувств, вели себя весьма эксцентрично. Кое-кто из них плакал, кое-кто косо поглядывал на соседей. В этих взглядах сквозила неприкрытая неприязнь... Другая половина, к которой относился и я, чувствовала себя как-то неловко, словно в чем-то провинилась перед евреями... Потом чувство гнетущей неловкости переросло в чувство протеста и возмущения... Самое страшное, на мой взгляд, что люди (я не выделяю себя из их числа), которые раньше не были ни антисемитами, ни шовинистами, уже не могли спокойно разговаривать ни о симфонии Шостаковича, ни о... евреях... У нас нет еврейского вопроса, но его могут создать люди вроде Е. Евтушенко, И. Эренбурга, Д. Шостаковича. Тринадцатая симфония является убедительным подтверждением этой мысли. Она возбуждает бациллы не только крайне опасного еврейского национализма, но и не менее опасного шовинизма, антисемитизма. Разжигая национальную рознь, она льет воду на чужую мельницу... Конечно, запрещение Тринадцатой симфонии вызовет неблагоприятную реакцию, различные кривотолки и у нас, и за рубежом... Но из двух зол всегда выбирают меньшее...

Н. Матуковский, член КПСС.
г. Минск. Белорусское радио.
Письмо секретарю ЦК КПСС Л. Ф. Ильичеву,
24 марта 1963 г.
Из архива ЦК КПСС

В связи с критикой стихотворения «Бабий Яр» на встречах руководителей партии и правительства с художественной интеллигенцией получили распространение слухи об официальном запрете Тринадцатой симфонии. Подобные слухи раздуваются буржуазной прессой, развернувшей антисоветскую пропаганду вокруг безответственных заявлений Е. Евтушенко, что его стихотворение «Бабий Яр» у нас в стране горячо принято народом, а его критиковали только догматики. За рубежом широко комментировались также многочисленные интервью Е. Евтушенко в ФРГ и во Франции, в которых он характеризовал Тринадцатую симфонию как одно из самых человечных и «острых» по содержанию произведений современности... Политическая незрелость большинства использованных в ней стихов Евтушенко подвергается резкой критике и в письмах, направленных в ЦК КПСС после исполнения этого произведения в Минске... Тов. Матуковский сообщает, что во время исполнения этой симфонии в зале Минской филармонии сложилась крайне нездоровая обстановка... В связи с этим мы считали бы нецелесообразным широкое исполнение этой симфонии в концертных организациях страны. Следовало бы поручить Министерству культуры СССР (тов. Фурцева) в дальнейшем ограничить исполнение Тринадцатой симфонии Шостаковича... Считаем нецелесообразным удовлетворять заявки и передавать партитуру Тринадцатой симфонии в зарубежные страны.

Зам. зав. идеологическим отделом ЦК КПСС
В. Снастин, зав. сектором
В. Кухарский, инструктор А. Михайлова.
15 мая 1963 г. Из архива ЦК КПСС

Исполнение Тринадцатой симфонии вызвало большой интерес советских слушателей, концерты проходили при переполненных залах. Несомненный успех симфонии объясняется, прежде всего, глубиной и выразительностью музыки, где в полной мере проявились мастерство и талант композитора. Следует отметить, что в последних двух концертах первая часть симфонии «Бабий Яр» исполнялась с текстом, в котором композитором были учтены основные изменения, внесенные в эти стихи Е. Евтушенко. Не все части симфонии равноценны. Так, подавленность, излишне мрачный колорит свойственны тексту и музыке в третьей части – «В магазине». В седьмой части — музыка в целом воспринимается как скорбный реквием жертвам фашизма. Вместе с тем общему возвышенному строю музыки порой противоречат своей односторонней заостренностью отдельные реплики текста... Секретариат Союза композиторов, учитывая широкий резонанс, который получила новая симфония Шостаковича, считал бы целесообразным предоставить возможность исполнения этого произведения концертным организациям Советского Союза и зарубежных стран. Просим указаний по этому вопросу.

Т. Хренников, первый секретарь
Союза композиторов СССР.
Письмо секретарю ЦК КПСС Л.Ф. Ильичеву.
21 февраля 1963 г. Секретно. Из архива ЦК КПСС

На сцене на фоне восстановленных панно Марка Шагала царил Евгений Евтушенко, преисполненный сознания собственной уместности на данном мероприятии. Сразу вспомнились строки: «Ты Евгений, я Евгений. Ты не гений — я не гений...»

Ю. Немцова. Евтушенко как главный еврей России
(«Новые известия», 10 января 1998 г.)

Пятьдесят лет назад в Минске под колесами грузовика погиб замечательный артист нашего столетия Соломон Михоэлс. Лишь много лет спустя выяснилось, что смерть не была случайной. Генералиссимус «позаботился». На минувшей неделе открытие «Фестиваля памяти Михоэлса» отметила газета «Новые Известия». Отметила так, что невольно пришла в голову мысль: колонна грузовиков, один из которых сбил Михоэлса пятьдесят лет назад, стоит «под парами» в теплом гараже и ждет своего часа… Словом, очень не нравится Евтушенко «Новым Известиям». Что же касается его «уместности на данном мероприятии», то, надо понимать, Куняев или Ганичев были бы уместнее. Между тем даже молодой газете уместно знать: Евгений Евтушенко был первым и долгое время оставался единственным советским поэтом, выступившим своей знаменитой поэмой «Бабий Яр» против разномастных антисемитов — от черносотенцев до наци. И если кто-то из современных русских поэтов имеет право своего действа на открытии фестиваля памяти Михоэлса, то в первую очередь — Евтушенко.

М. Дейч. Грузовик для Евтушенко. Журналисты записываются в «Черную сотню» («Московский комсомолец», 12 января 1998 г.)

Уместно напомнить — «Бабий Яр» был написан им (Евтушенко. — *Ред.*) не в юбилейных условиях, а в то время, когда большинство литераторов к этой теме и близко не подходили. А с какой яростью вцепилась тогда в Евтушенко советская пресса за то, что он вспомнил о трагедии еврейского народа во время Второй мировой войны. На фестивале памяти Михоэлса Юлии Немцовой он кажется неуместным. Вы чувствуете в заметке какой-то душок, что-то липнущее к пальцам?

И. Дементьева. «Новые Известия» открыли главного еврея России («Общая газета», 12 января 1998 г.)

Дорогой Дмитрий Дмитриевич! Сожалею, что не застал Вас в этот приезд в Москву (долго не был здесь, всю зиму просидел в лесу). Как я слышал (не знаю – верно ли?) – ораторию Вашу (речь идет о поэме для баса, хора и оркестра «Казнь Степана Разина». — *Ред.*) приостановили. Из-за нее ли самой? Или из-за сочетания ваших с Евгением Александровичем имен?

...Жаль, что я ее не послушал. Вы, вероятно, часто видите Евгения Александровича. Передайте, пожалуйста, ему, что я с глубокой симпатией слежу за его новыми стихами, очень радуюсь, что он держится так принципиально, и надеюсь, что нам еще удастся познакомиться с ним не так на лету, как это было в первый раз.

Из письма А.И. Солженицына Д.Д. Шостаковичу
от 4 апреля 1965 г.
Собрание И.А. Шостакович

Есть, правда, люди, которые считают «Бабий Яр» неудачей Евтушенко. С ними я не могу согласиться. Никак не могу. Его высокий патриотизм, его горячая любовь к русскому народу, его подлинный интернационализм захватили меня целиком, и я «воплотил» или, как говорят сейчас, «пытался воплотить» все эти чувства в музыкальном сочинении. Поэтому мне очень хочется, чтобы «Бабий Яр» прозвучал и чтобы прозвучал в самом лучшем исполнении.

Д. Шостакович. Из письма к певцу Б. Гмыре.
Напечатано в книге С. Хентовой «Шостакович: жизнь и творчество», т. 2 (Л., 1986). (Б. Гмыря, так же как дирижер Е. Мравинский, под нажимом отказался от участия в исполнении Тринадцатой симфонии. — *Ред.*)

Дорогой Евгений Александрович! Сегодня получил Ваши стихи. Спасибо. Все стихи прекрасны. Но выбрал я для Тринадцатой симфонии «Страхи». Мне кажется, для моей симфонии «Страхи» больше всего подходят. Одна строчка меня пугает:

Ну а страх говорить с иностранцем?
С иностранцем-то что. А с женой?

Меня это пугает, так как разговор идет от моего лица. А я был счастлив и предельно правдив со своей покойной женой. Как бы эта строчка не явилась оскорблением ее светлой памяти. И сейчас у меня очень хорошая жена, с которой я не могу кривить душой. Впрочем, сейчас, как Вы утверждаете, времена другие... После прочтения «Бабьего Яра» у меня появился некий ренессанс. И когда я стал читать Вашу книгу «Взмах руки» и решил продолжить работу, то меня прямо невозможно оторвать от бумаги. Давно уже у меня такого не было. И в больнице я без перерыва работаю. Но сегодня пришли Ваши стихи, и опять я во власти долга — долга, который мне необходимо выполнить, — долга моей совести. В общем, за это спасибо Вам.

Кстати, о совести. Дирижер С. А. Самосуд рассказал в беседе с одним видным деятелем, ныне покойным, занимавшим при жизни государственную должность, и весьма значительную. Корифей науки сказал С. А. Самосуду: «Не надо ставить оперу “Борис Годунов”. И Пушкин, и вслед за ним Мусоргский извратили образ выдающегося государственного деятеля Бориса Годунова. Он выведен в опере этаким нытиком, хлюпиком. Из-за того, что он зарезал какого-то мальчишку, он мучился совестью, хотя он, Борис Годунов, как видный деятель, отлично понимал, что это мероприятие было необходимым для того, чтобы вести Россию по пути прогресса и подлинного гуманизма». С. А. Самосуд с восторгом отнесся к необычайной мудрости вождя. Мне кажется, что стоит посвятить несколько слов и совести. О ней позабыли. А вспомнить о ней необходимо. Совесть надо реабилитировать. Совесть надо восстановить во всех правах. Надо предоставить ей достойную жилплощадь в душах человеческих. Когда завершу Тринадцатую симфонию, буду кланяться Вам в ноги за то, что Вы помогли мне «отобразить» в музыке проблему совести. ...Ваш Шостакович.

Из архива Е. Евтушенко.
8 июня 1962 г.

Из письма Д. Шостаковича композитору Б. Тищенко

29.10.1965. Жуковка. Дорогой Борис Иванович! Мне обидно за моего любимого поэта, или за одного из самых любимых мною поэтов — за Евтушенко. Отставим в сторону такие вещи, как красота слога, изящность рифмы и т.п. Я в этом плохо разбираюсь. Вам не нравится, что он сел Вам на шею и учит Вас тому, что Вы знаете: «Не воруй мед», «Не лги» и т. д. Я тоже знаю, что так поступать нельзя. И стараюсь так не поступать. Однако мне нескучно слушать об этом лишний раз. Может быть, Христос говорил об этом лучше и даже, вероятно, лучше всех. Это, однако, не лишает права говорить об этом Пушкина, Льва Толстого, Достоевского, Чехова, И.С. Баха, Малера, Мусоргского и многих других. Более того, я считаю, что они обязаны об этом говорить, как обязан это делать и Евтушенко. Лишний раз напомнить об этом — святая обязанность человека. Никакого «ячества» у Евтушенко нет. И когда он говорит «я», то это он говорит не о себе... Ужасно несправедливы Ваши утверждения о кокетстве Евтушенко. А что такое «морализующая» поэзия, я так и не понял. Почему она не из лучших, как вы утверждаете? Мораль — родная сестра совести. И за то, что Евтушенко пишет о совести, дай Бог ему всего самого доброго.

Каждое утро вместо утренней молитвы я перечитываю, вернее, произношу наизусть два стихотворения Евтушенко: «Сапоги» и «Карьера». «Сапоги» – совесть, «Карьера» – мораль. Нельзя лишаться совести. Потерять совесть – все потерять. И совесть надо внушать с самого детства. Честь и слава Евтушенко, что он об этом напоминает, «морализует». Поймите же это, не снобствуйте! Добро, любовь, совесть — вот что самое дорогое в человеке. И отсутствие этого в музыке, литературе, живописи не спасают ни оригинальные звукосочетаниями изысканные рифмы, ни яркий колорит...

Письма Дмитрия Дмитриевича Шостаковича
Борису Тищенко
(СПб.: Композитор, 1997)

Сегодня очень модно поносить шестидесятников. Иногда это уже напоминает организованную травлю. Немало тявкает мелкотравчатая бездарь и на Евгения Евтушенко... Однажды Олег Целков, рассматривая какой-то каталог, сказал мне: «Художником и мастером является каждый, кто хоть одну прекрасную картину в жизни написал». Если бы Евгений Евтушенко написал один лишь «Бабий Яр», то одного этого было бы достаточно, чтобы причислить его к Мастерам. А ведь творчество Евтушенко необъятно. Вспоминаю свой разговор в Париже с Володей Высоцким. С каким трепетом и восхищением произнес он слово «Мастер», говоря о поэзии Евтушенко. Громадный многогранный Мастер, со сложным творчеством и не менее сложной судьбой. Могиканин. Увы, один из последних...

Михаил Шемякин.
28 октября 1997 г.

Евгений Евтушенко — поэт. Это знают все. О себе как о человеке он лучше всех сказал сам: «Я разный. Я натруженный и праздный...» Однако как друг он всегда был верным и никогда не был «разным».

Приведу только три примера. На идеологическом судилище, где меня топтал Хрущев, он единственный отважно выступил в мою защиту. Его недоброжелатели говорили: «Ишь какой хитрый... Знал, что это понравится Хрущеву». Зал был набит царедворцами и опытными интриганами. Но там были не только мои враги, но и мои друзья. Почему же ни один не выступил в мою защиту? Да просто-напросто не хватило смелости! А у Жени хватило.

Второй пример. В те времена меня никогда еще не выпускали за границу — я был глубоко невыездным. Он через Добрицу Чосича и Оскара Давичо, югославских писателей, добился того, что меня были вынуждены выпустить, и я поехал в Югославию, благодаря его упорству.

Третье. Когда меня выдворили из СССР, моя мама хотела приехать ко мне и в течение семи лет обивала пороги всех инстанций, брошенная всеми. Евтушенко вмешался, написал письмо Андропову, которое и решило мамину судьбу. Ей сейчас девяносто четыре года, и то, что она со мной, продлило ее жизнь, за что я благодарен Жене.

Евтушенко принадлежит к тем людям, которые при дилемме, что выбирать — зло или добро, всегда выбирают добро и умеют за него сражаться. В нашем холодном мире это – увы! – редкое качество. Спасибо за это Жене.

Эрнст Неизвестный.
27 ноября 1997 г.

Его прорабатывали где только можно. Замучили телефонные звонки (кстати, главным образом сочувствующие). Женя тогда получил квартиру в Амбулаторном переулке и несколько недель вообще не выходил на улицу. Он очень тяжело переживал нападки в печати и особенно то, что этим занимались некоторые из его недавних друзей. Я носила ему туда еду. Он жил на шестом этаже, и когда я пришла в первый раз, то обнаружила, что вся лестница с первого этажа до шестого занята людьми. Я даже испугалась и спросила, что они тут делают. «Мы охраняем Евтушенко», — ответили они. Выяснилось, что многие даже приехали из других городов. Они опасались, что дело не ограничится проклятиями в печати. Люди считали, что после того, как в газетах ежедневно поэта называют предателем, его непременно должны арестовать.

Из интервью с Зинаидой Ермолаевной Евтушенко
(Альманах «Апрель», выпуск 2-й. М., 1990)

Продолжение Тринадцатой симфонии — без музыки

ДИСПЕТЧЕР СВЕТА

Я диспетчер света — Изя Крамер.
Ток я шлю крестьянину, врачу.
Двигаю контейнеры и краны
и кинокомедии кручу.

Где-то в переулочках неслышных,
обнимаясь, бродят, как всегда.
Изя Крамер светит вам не слишком?
Я могу убавить, если да.

У меня по личной части скверно.
До сих пор жены все нет и нет.
Сорок лет не старость — это верно.
Только и не юность — сорок лет.

О своей судьбе я не жалею.
Почему же все-таки тогда
зубы у меня из нержавейки,
да и голова седым-седа?

Вот стою за пультом над водою,
думаю про это и про то,
а меня на белом свете двое,
но не знает этого никто.

Я и здесь, и в то же время где-то.
Здесь — дела, а там — тела, тела.
Проволока рижского гетто
надвое меня разодрала.

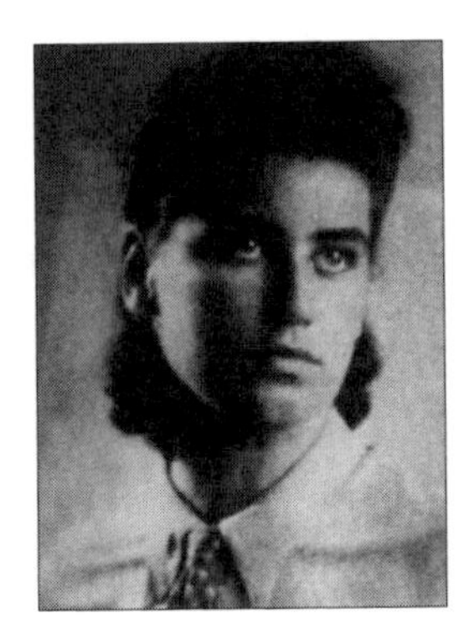

Прототип героини стихотворения «Диспетчер света» — Ривы (Лиза Блох)

Оба Изи — в этой самой коже.
Жарко одному, другой — дрожит.
Одному кричат: «Здорово, кореш...»
А другому: «Эй, пархатый жид!»

И у одного, в тайге рождаясь,
просят света дети-города,
у другого к рукаву прижалась
желтая несчастная звезда.

Но другому на звезду, на кепку
сыплется черемуховый цвет,
а семнадцать лет — они и в гетто,
что ни говори, семнадцать лет.

Тело жадно дышит сквозь отрепья
и чего-то просит у весны...
А у Ривы, как молитва ребе,
волосы туманны и длинны.

Пьяные эсэсовцы глумливо
шляются помято до зари...
А глаза у Ривы — словно взрывы,
черные они, с огнем внутри.

Молится она окаменело,
но молиться губы не хотят
и к моим, таким же неумелым,
шелушась, по воздуху летят!

И, забыв о голоде и смерти,
полные особенным своим,
мы на симфоническом концерте
в складе продовольственном сидим.

Пальцы на ходу дыханьем грея,
к нам выходит крошечный оркестр.
Исполнять Бетховена евреям
разрешило все-таки СС.

Хилые, на ящиках фанерных,
поднимают скрипки старички,
и по нервам, по гудящим нервам
пляшут исступленные смычки.

И звучат бомбежки ураганно,
хоры мертвых женщин и детей,
и вступают гулко и органно
трубы где-то ждущих нас печей.

Ваша кровь, Майданек и Освенцим,
из-под пианинных клавиш бьет,
и, бушуя — немец против немцев, —
Людвиг ван Бетховен восстает!

Ну, а в дверь, дыша недавней пьянкой,
прет на нас эсэсовцев толпа.
Бедный гений, сделали приманкой
богом осененного тебя.

И опять на пытки и на муки
тащит нас куда-то солдатня.
Людвиг ван Бетховен, чьи-то руки
отдирают Риву от меня!

Наш концлагерь птицы облетают,
стороною облака плывут.
Крысы в нем и то не обитают,
ну, а люди пробуют — живут.

Я не сплю, на вшивых нарах лежа,
и одна молитва у меня:
«Как меня, не мучай Риву, Боже,
сделай так, чтоб Рива умерла!»

Но однажды, землю молчаливо
рядом с женским лагерем долбя,
я чуть не кричу... я вижу Риву,
словно призрак, около себя.

А она стоит, почти незрима
от прозрачной детской худобы,
колыхаясь, будто струйка дыма
из кирпичной лагерной трубы.

И живая или неживая —
не пойму... Как в сон погружена,
мертвенно матрасы набивает
человечьим волосом она.

Рядом ходит немка, руки в бедра,
созерцая этот страшный труд.
Сапоги скрипят, сверкают больно.
Сапоги новехонькие. Жмут.

«Эй, жидовка, слышишь, брось матрасы!
Подойди! А ну-ка помоги!»
Я рыдаю. С ног ее икрастых
стягивает Рива сапоги.

«Поживее! Плетки захотела?
Посильней тяни! – И в грудь пинком.
– А теперь их разноси мне, стерва!
Надевай! Надела? Марш бегом!»

И бежит, бежит по кругу Рива,
спотыкаясь посреди камней,
и солдат лоснящиеся рыла
с вышек ухмыляются над ней.

Боже, я просил ей смерти, помнишь?
Почему она еще живет?
Я кричу, бросаюсь ей на помощь,
мне товарищ затыкает рот.

И она бежит, бежит по кругу,
падает, встает, лицо в крови.
Боже, протяни ей свою руку,
навсегда ее останови!

Боже, я опять прошу об этом!
Милосердный Боже, так нельзя!
Солнце, словно лагерный прожектор,
Риве бьет в безумные глаза.

Падает... К сырой земле прижалась
девичья седая голова.
Наконец-то вспомнил Бог про жалость.
Бог услышал, Рива: ты мертва...

Я диспетчер света, Изя Крамер.
Я огнями ГЭС на вас гляжу,
грохочу электротракторами
и электровозами гужу.

Где-то на бетховенском концерте
вы сидите — может быть, с женой,
ну, а я — вас это не рассердит? —
около сажусь, на приставной.

Впрочем, это там не я, а кто-то...
Людвиг ван Бетховен, я сейчас
на пюпитрах освещаю ноты
из тайги, стирая слезы с глаз.

И, платя за свет в квартире вашей,
счет кладя с небрежностью в буфет,
помните, какой ценою страшной
Изя Крамер заплатил за свет.

Знает Изя: много надо света,
чтоб не видеть больше мне и вам
ни колючей проволоки гетто
и ни звезд, примерзших к рукавам.

Чтобы над евреями бесчестно
не глумился сытый чей-то смех,
чтобы слово «жид» навек исчезло,
не позоря слова «человек»!

Этот Изя кое-что да значит —
Ангара у ног его лежит,
ну, а где-то Изя плачет, плачет,
ну, а Рива все бежит, бежит...

1963

ДРОБИЦКИЕ ЯБЛОНИ

Лепесточек розоватый,
кожи девичьей белей,
ты ни в чем
не виноватый —
на рассвете слез не лей.

Улетевший с ветки, вейся,
попорхай —
ну хоть чуток,
украинский и еврейский,
общий
Божий лепесток.

Что за слезы,
Рувим Рувимович?!
В мае Дробицкий яр
так хорош!
Быть евреем —
и быть ранимейшим
невозможно —
не проживешь!

Если в землю,
убитым дарованную,
вы воткнете
в этом яру
вашу палочку
полированную —
станет яблоней поутру.

По-над яром Дробицким —
яблонные
лепесточки-лепестки,
словно платье
воздушное свадебное,
все разодранное в клочки.

Человечество,
слышишь,
видишь —
здесь,
у сестринской
кровной криницы,
Сара-яблонька
шепчет на идиш,
Христя-яблонька —
по-украински.
Третья яблонька —
русская,
Манечка,
встав на цыпочки,
тянется ввысь,
а четвертая — Джан,
армяночка.
Все скелеты
в земле обнялись.
Кости в спор под землей
не вступают,
у костей
нету грязных страстей.
Память есть.
Нет общества «Память»,
нету антисемитов —
костей.
Расскажи нам,
Рувим Рувимович,

как подростком,
в чем мать родила,
весь в кровище,
в лице ни кровиночки,
выползал,
разгребая тела.

Для того ли ты
выполз на солнце
и был сыном полка
всю войну,
чтоб когда-нибудь
в жидомасонстве
обвинили твою седину?!
Все мы — выпавшие
из своих колыбелей —
в расстрел.
Все мы — выползшие
из-под мертвых идей
и тел.

Мертвецами мы были
завалены.
Труп — на трупе,
а сверх всего
придавило нас
трупом Сталина, —
еле выбрались
из-под него.

По-над яром Дробицким —
осенью,
когда листья горят,
как парча,
эту яблочную Колгоспию
охраняют овчарки,
ворча.

Мне дороже,
чем власть начальничья,
легкость яблонного
лепестка.
Не люблю я ничто
овчарочное —
спецсады
или спецвойска.

Что за слезы,
Рувим Рувимович?
Жизнь —
чернобылей череда.
Неужели мы
все — под руинищем
и не выползем никогда?

Выползаем.
Задача позорная,
но великая!
Лишь бы опять
не смогла бы
лопатка саперная
выползающих
добивать!

Лепесточек розоватый,
кожи девичьей белей,
ты ни в чем
не виноватый —
на рассвете слез не лей.
Улетевший с ветки, вейся,
попорхай —
ну хоть чуток,

украинский,
и еврейский,
и тбилисский,
                    тоже близкий,
тоже
       Божий лепесток.

1989

КРАСНОЕ И ЧЕРНОЕ

Мальчик-ангелочек
лет шести,
сжавшийся в комочек
от ненависти.
Соску отмусолив,
с детства ты восстал.
Дяденек-масонов
ненавидеть стал.
Ангелочка-мальчика
шатко, во хмелю
притащила мамочка
к самому Кремлю.
Красная площадь.
Черная сотня.
Криком кресты на Блаженном креня,
антисемитская подворотня
доплесканулась
и до Кремля.
А микрофон в кулачище,
он —
кистеня почище.
Чудится мне: к микрофону прилипли
под вопли,
что так дики,
прежних погромов реликвии —
погибших детей кудерьки.
Настойками с разными травками
пахнут борцы
с незваными

всеми заморскими кафками
и сахаровыми-цукерманами.
Рядом —
правительственные «ЗИЛы»
в Спасскую башню ныряют бочком.
Охотнорядствуюшие верзилы,
может быть,
кажутся им пустячком?
Но наступила пора признаться
в существовании нашенских «наци».
Нечерносотенцы все
в наше время
подозреваются
в том, что евреи.
Минин с Пожарским,
в какой мы трясине!
Если вы слышите:
«Бей жидов!»,
бейте шутов,
спасайте Россию
от самозванствующих шутов!
И как плевки
и в глаза мне, и в лоб
гарканье:
«Жидомасон!
Русофоб!»
Мальчик-ангелочек
лет шести,
ты без проволочек
Русь решил спасти?

Чья рука толковая
вставила,
хитра,
в очи васильковые
угли недобра?

Стань хоть чуть добрее
здесь, у входа в храм...
Вдруг бы ты евреем
уродился сам?

Что будут делать антисемиты,
если последний русский еврей
выскользнет сквозь
наше жесткое сито,
кто будет враг?
Из каковских зверей?
Что, если, к нашему с вами позору,
тоже еврей,
оскорбленный до слез,
за выездною визой
к посольству
встанет смертельно уставший
Христос?

1989

Написано после того, как члены общества «Память», устроившие антисемитский митинг на Красной площади, оскорбляли меня угрожающими выкриками. Особенно меня потрясло, что один из кричавших был мальчик лет шести с глазами, полными ненависти.

ПОЛЮШКО-ПОЛЕ

1

«Полюшко-поле»,
песня родилась в неволе,
и, когда ее Россия пела,
проволка колючая скрипела.

Рос я, голодный,
на войне такой холодной,
голодал, жуя сухую корку,
по Парижу, Лондону, Нью-Йорку.

Занавес ржавый
нависал над всей державой.
Не было ни отзвука, ни эха,
а Нью-Йорк — он сам в Москву приехал.

Полюшка Робсон
с черный террикон был ростом.
Нежно, осторожно очень-очень
голосом, как хоботом, ворочал.

Рты все раскрыли:
«У меня есть родственник в России». –
«Кто?» — поднялись ушки на макушке.
Робсон рассмеялся: «Это Пушкин».

А на Лубянке,
в нашей красной Ку-Клукс-Кланке,
линчевали ни за что поэтов
дорогой ему Страны Советов.

2

Робсон читал в советских газетах, что его друг — великий еврейский актер Михоэлс — погиб в результате несчастного случая. Но Робсон не был слеп. Он знал, что многие еврейские интеллигенты были арестованы как враги народа, и среди них был его другой близкий друг-поэт. Пытаясь его спасти, прикинувшись наивным, Робсон спрашивал официальных лиц: «Где мой друг? Я хочу видеть моего друга...» В конце концов поэт, измученный круглосуточными допросами и пытками, был вымыт, побрит, приодет и доставлен прямо с Лубянки в роскошный гостиничный номер Робсона. Он был так бледен, как будто вся кровь была выжата из него. Его лицо съежилось настолько, что его огромные страдальческие глаза, казалось, выходили за пределы лица. Глаза нельзя переодеть.

— Почему ты ничего не ешь? — спрашивал Робсон, показывая на серебряное блюдо с черной икрой, семгой, осетриной под хреном и коронным блюдом сталинских времен — петушиными гребешками, фаршированными куриной печенкой и шампиньонами. Поэт отвечал с грустной улыбкой:

— Спасибо, но поверь мне — я так устал от черной икры, потому что меня там балуют ею каждый день. Разве ты не видишь, как прекрасно я выгляжу?

К счастью для них, в те относительно благородные времена было только аудио-, но не видеозаписывание разговоров. И когда их голоса подчеркнуто громко говорили о том, как они оба счастливы, их руки разговаривали совсем по-другому.

Робсон написал карандашом на бумажной салфетке «Михоэлс» и поставил рядом большой вопросительный знак. Поэт написал в ответ только два слова: «Убит... Сталиным...»

«Что будет с тобой?» — спросил запнувшийся карандаш Робсона.

Поэт резко провел пальцем по горлу — жест, не нуждающийся в словах.

Когда они обнялись, оба понимая, что прощаются навсегда, Робсон заметил, что щеки поэта были неестественно румяны, не совпадая с его безнадежными глазами. Робсону пришлось вытереть со своего лица жирный грим, наложенный на лицо поэта искушенными косметологами Лубянки. Там делали все, чтобы их жертвы выглядели счастливыми. С той поры за Робсоном всюду следовали агенты МГБ. А когда он вернулся в США, то им занялись их американские коллеги, подозревавшие, что Робсон — красный шпион. Так называемые «патриоты» разбивали бейсбольными битами окна машин его поклонников, направлявшихся на его первый концерт по возвращении. Так трагически сложилась судьба близкого родственника Пушкина — Поля Робсона.

3

Как жить без фальши?
Как быть от политики подальше?
Но в любом ведется поколенье –
гении всегда на подозренье.

Робсон, прости нас,
что надежда с нами распростилась,
вытирая слезы виновато...
Может быть, вернется к нам когда-то...
Пел ты, рыдая:
«Широка страна моя родная...»,
а она всё уже, уже, уже...
Бог спаси, чтоб не случилось хуже.

Девушки плачут –
их парней в гробы из цинка прячут.
Неужели, подожжен войною,
станет мир одной большой Чечнею?

Армии Красной
нет, и стала смерть напрасной,
но возможно, что на белом свете
не бывает ненапрасной смерти.

Волюшка-воля,
видно, ты не наша доля.
Чем же так обидели мы Бога,
раз он так наказывает строго?

Где наша вера? Нет давно СССРа.
Поистлели старые шинели,
ну а песни наши уцелели.

Полюшка Робсон,
что ж от смерти ты не уберегся?
Но твоя могила раскололась,
и парит твой дух — твой вечный голос.

Полюшко-поле,
съежились цветы твои от боли.
Замерзают и цветы, и слезы.
Эх, кабы на цветы да не морозы.

2001

ШЕКСПИР О МИХОЭЛСЕ

Великий исполнитель роли короля Лира — актер Еврейского театра Соломон Михоэлс, раздавленный грузовиком, был найден 13 января 1948 года в Минске. Его убили по личному указанию Сталина. В 1952 году Михоэлс посмертно был обвинен в шпионаже.

Какая разница вам,
кем был я,
Шекспир, —
мужчина,
женщина,
актеришка,
вельможа.
Не королевская,
не сталинская ложа —
галерка равных для меня весь мир.
Я — англичанин?
Что-то не похоже.
Истлела моя аглицкая кожа.
Я всеми стал.
Я стал древней,
моложе.
Я — каждое лицо,
личина, рожа,
Я — русский Гамлет.
Я — еврейский Лир.
Меня играли разные актеры
и допускали фальшь или повторы,

скользя, как по паркету полотеры,
по тексту окровавленному пьес.
Но были и актеры,
кто матеры.
Кровь убиенных шла у них сквозь поры
так, что рыдали даже билетеры,
и был актер особенный,
который
Шекспира не играл —
им жил, как Торой,
жил по Шекспиру волею небес.
Шишкаст был его лоб,
почти мозолист.
Гамлето-Лир по имени Михоэлс,
он Гамлета, к несчастью, не сыграл.
Но лишь глаза мои в него всмотрелись,
я вздрогнул от предчувствий —
даже «Фрейлехс»
вокруг него перерастал в хорал.
Он лысенький был,
с реденьким начесом,
с приплюснутым,
почти боксерским носом,
но красотою гения красив.
Край сцены стал смертельнейшим откосом,
и с гамлетовским внутренним вопросом
он сам шагнул навстречу тем колесам...
Эпоха грязным, грузным труповозом
его не пожалела,
раздавив.
Любой палач
с душой, как преисподня,
есть извращенье замысла Господня.
В России,
где тиран сменял тирана,
огромной сценой стала вся земля

шекспировско-российского театра,
но Пушкин —
вот ее Шекспир —
не я.
В России все актеры —
крепостные,
да и сама она —
Шекспироссия —
актриса крепостная в железах.
Она — то в роли матери,
то мачехи.
В глазах скорбящих у нее не мальчики,
а гении кровавые в глазах.
Зачем я стал Шекспир?
Зачем все в мире видно
мне сквозь гробы и лбы,
сквозь рябь газет?
У власти кто?
Те, за кого нам стыдно.
Тех, перед кем нам стыдно,
с нами нет.
Себе быть на уме —
трусливая тюрьма.
Дай Бог нам смелости,
чтобы сойти с ума!
Прости, Михоэлс...
От чужого пира
осталось лишь похмелье...
Пусто, сиро...

Я ухожу...
Михоэлс, там, вне мира,
найти мне чистый угол помоги.
Я слишком стар.
Я сломан, как рапира.

Но в новом веке
нового Шекспира
я слышу командорские шаги!

4–5 января 1998

Это стихотворение впервые было прочитано 5 января 1998 года в Большом театре в день открытия Фестиваля Михоэлса.

КРЕЩАТИЦКИЙ ПАРИЖАНИН

Не люблю в Эренбурга камней,
хоть меня вы камнями побейте.
Он, всех маршалов наших умней,
нас привел в сорок пятом к победе.

Танк назвали «Илья Эренбург».
На броне эти буквы блистали.
Танк форсировал Днепр или Буг,
но в бинокль наблюдал за ним Сталин.

Не пускали, газету прочтя,
Эренбурга на самокрутки,
и чернейшая зависть вождя
чуть подымливала из трубки.

Чем опасен был гений газет
всемогуществу гения злого?
Власть сексотов, орудий, ракет
завидуща к всевластию слова.

И, продумывая погром,
Вождь, быть может, неслышимо буркнул:
«Кто окажется под пером
после Гитлера у Эренбурга?»

Желчным циником став от обид,
был в наивности неподражаем
вечный русско-советский жид
и крещатицкий парижанин.

Он был счастлив на rue de Passi
и под лорковскими небесами,
но дамокловы эти усы
над беретом и там нависали.

А усам-то — им как угодишь?
Стать расческой для них?
                                        На хрен им-то
его нежно любимый Париж,
его Хулио Хуренито.

Всех евреев загнать за Читу
вздумал вождь (по их просьбе — не палкой!),
чтобы вновь узаконить черту
беззаконной оседлости жалкой.

По евреям пошел перепуг:
либо подпись твоя, либо гибель.
Молча корчился Эренбург,
будто смерд, на невидимой дыбе.

Красноречием немоты
не отделаться, если все глухо,
и не смог пересечь он черты
поднадзорной оседлости духа.

Но слоновьи взревел в небосвод
его танк, что дошел до Берлина,
так что смерзлись в лиловый лед,
став непишущими, чернила.

И вступил Эренбург в диалог,
и подкинул он столько сомнений,
так что самоназначенный бог
вдруг застопорил подлый свой гений.

Эренбург возражать не дерзал,
но во времени мерзостно-грозном
то, что он полупротив сказал,
не решился сказать даже Гроссман.

Наша жизнь — как потомкам письмо,
в нем — свидетельства славы и краха.
Не умрет, к сожаленью, само
все, подписанное от страха.

Но когда обвиняют сейчас,
как в предательстве, в полупротив,
их спросить бы: есть совесть у вас?
Вы всю жизнь свою полностью врете!

Полурыцарь и полупророк
выше вас, и вам с ним не сравниться.
Танк «Илья Эренбург» нам помог —
спас правдивость мучительных строк,
раздавил с полуправдой страницы.

9 ноября 2004, Талса

СОЛДАТ, НЕ УМЕВШИЙ ПЕТЬ

Ицхак Рабин не умел петь. Его убили после того,
как он запел — может быть, в первый раз.
Это была песня мира.

Нет национальности у пуль,
и убийствам в мире нет конца.
Старого солдата кончен путь
старою знакомой из свинца.

Нет национальности у зла.
Он был на экране распростерт,
и бестактно около ползла
не слеза, а строчечка про спорт.

Гитлер снова бродит у дверей
с будущим убийством в голове.
Гитлер — то араб, а то еврей.
Он — то в Оклахоме, то в Москве.

Гитлер снова хочет быть вождем,
стольким шепчет он: «Убей! Решись!»
Неужели в каждом, кто рожден,
может быть, рождается фашист?

Неужели Гитлер в нас во всех?
Двадцать первый век, ты нас утешь!
Что такое наш двадцатый век?
Газовая камера надежд.

И лежит, совсем теперь один,
от чужих и от своих устав,
не умевший петь Ицхак Рабин
с убиенной песней на устах...

4–5 ноября 1995

* * *

У русского и у еврея
одна эпоха на двоих,
когда, как хлеб, ломая время,
Россия вырастила их.

Основа чести и морали
в том, что, единые в строю,
еврей и русский умирали
за землю общую свою.

Рязанским утренним жалейкам,
звучавшим с призрачных полей,
подыгрывал Шолом-Алейхем
некрепкой скрипочкой своей.

Не ссорясь и не хорохорясь,
так далеко от нас уйдя,
теперь Качалов и Михоэлс
в одном театре навсегда.

1978

СМЕРТЬ ТАБАКЕРО

Посвящается памяти одного из последних виртуозов сворачивания кубинских сигар — их называют «табакеро» — Луиса Миранды, приглашенного из Гаваны в Москву для этого уникального «шоу» и убитого 6 марта 2006 года в ночном сквере подростками. К нашему стыду, в последние годы в России участились случаи избиений и убийств из-за расовой агрессивности, которую судьи почему-то стесняются называть фашизмом.

Нежный скульптор сигар,
 их любовно оглаживающий кубинец,
кто был твой полуночный,
 во внуки годящийся юный убивец?
Снег московский запятнан,
 как будто твоя окровавленная гуявера.
Неужели пропала
 во братство всемирное вера?
И улыбка сошла навсегда
 с не понявшего, что происходит, лица
цвета смугло-табачного,
 временем высушенного листа.
Почему темной кожи брезгливо боятся,
 как будто потемок?
Где же фильм романтичный тридцатых годов
и плывущий по русским рукам
 негритенок?

Твои руки — все в крошеве табака.
Но их в крови чужой не марал ты.
А теперь больше нет на земле
табакеро Миранды,
кто хотел, чтобы каждый был в мире
дымком его Кубы согретый,
и кто в пальцах сплетал неразлучно
убитых Ромео с Джульеттой.
Так прозвали на Кубе когда-то,
согласно чьему-то особому дару,
с горьковато счастливым оттенком сигару.
И мучача одна,
что отвергла когда-то тебя,
табакеро,
словно из припоздавшего сна,
прошептала тебе:
«Yo te querro...»
А убили тебя
здесь, в стране,
обещавшей спасенье всем нациям.
В нас ошиблись они
или сами в себе
мы ошиблись в семнадцатом?

Компаньеро Миранда лежит
и не жалуется,
не шевелится,
шевелятся лишь пальцы,
ища на снегу золотые табачные листья.
Эти пальцы крутили их для «барбудос» —
а может, и для Че Гевары.
Но, как видно,
не скрутишь из русского снега
кубинской сигары.

8 марта 2006

ТАК ИМ И НАДО

Снова от крови на рельсах мокро.
Мир как открытая рана.
Станции лондонского метро —
родственницы Беслана.
Рельсы на станции детства Зима
с бабочками узорными.
Странно, что в мире, сходящем с ума,
вы еще кем-то не взорваны.
Каждый автобус, вагон, магазин —
завтра, быть может, могильники,
где по хозяевам из руин
плачут щенками мобильники.
Наша планета – всемирный перрон
вместе с детьми грудными.
Господи, хоть бы треклятый террор
сделал всех сразу родными!
Как же звонили бесстыднейше вы,
наши сограждане злобные,
в радиостанцию «Эхо Москвы»
после трагедии в Лондоне.
Торжествовала звонков канонада:
«Так им и надо!
Так им и надо!»
Зависть не прячется по углам.
Бедам чужим она рада.
«Лишь бы им плохо!
Пусть хуже нам.

Так им и надо!
                    Так им и надо!»
Наш доморощенный сталинский Рим
вычеркнул слово —
                    «пощада»,
тыча в арену пальцем кривым:
«Так им и надо!
                    Так им и надо!»
Мне этой радости мерзкой природа
памятна с тридцать седьмого года.
В душах — гулаговских пил вжик да вжик.
Страхом мы облучились,
и ненавидеть злорадно «чужих»
мы на своих обучились.
Дух сердобольной Руси не исчез,
как потайная лампада.
Только боюсь,
                    чтобы вновь не воскрес
рук обвинительных радостный лес:
«Так им и надо!
                    Так им и надо!»
Взорваны наша страна и судьба.
Взорвана русская тайна.
Может, мы все —
                    только клочья себя,
взорванные несрастаемо?
В чем же английская здесь вина,
если рычат мохнато
наши ворчатели,
                    наша шпана:
«Так им и надо!
                    Так им и надо!»
Родины разными могут быть,
но при войне и терроре
разве не может объединить
общая родина — горе?

Горю друг другу откроем двери.
Разве не пели и мы «Типерери»?
Разве не лили бабы неграмотные
слезы на фильме о леди Гамильтон?
Слушая про Сталинград,
англичане
шапки когда-то снимали в молчанье.
Разве под мессершмиттную музыку
не прорывались их транспорты
к Мурманску?
Там заморожены
павшие в битвах —
в айсбергах —
родичи будущих битлов?

И не накажут ли муками ада
нас за постыдное:
«Так им и надо!»?

18–25 июля 2005

ВТОРОЕ РОЖДЕНИЕ

Д. Шостаковичу

Нет, музыка была не виновата,
ютясь, как в ссылке, в дебрях партитур
из-за того, что про нее когда-то
надменно было буркнуто: «Сумбур...»

И тридцать лет почти пылились ноты,
и музыка средь мертвой полутьмы,
распятая на них, металась ночью,
желая быть услышанной людьми.

Но автор ее знал, наверно, все же,
что музыку запретом не запрешь,
что правда верх возьмет еще над ложью,
взиравшей подозрительно из лож,
что, понимая музыки всю муку,
ей, осужденной на небытие,
народ еще протянет свою руку
и вновь на сцену выведет ее.
Но обратимся к опере. На сцене
худой очкастый человек — не бог.
Неловкость в пальцев судорожной сцепке
и в галстуке, торчащем как-то вбок.

Неловко он стоит, дыша неловко.
Как мальчик, взгляд смущенно опустил
и кланяется тоже так неловко...
Не научился. Этим победил.

Декабрь 1962

МУКИ СОВЕСТИ

Д. Шостаковичу

Мы живем, умереть не готовясь,
забываем поэтому стыд,
но мадонной невидимой совесть
на любых перекрестках стоит.

И бредут ее дети и внуки
при бродяжьей клюке и суме —
муки совести, — странные муки
на бессовестной к стольким земле.

От калитки опять до калитки
от порога опять на порог
они странствуют, словно калики,
у которых за пазухой — Бог.

Не они ли с укором бессмертным
тусклым ногтем стучали тайком
в слюдяные окошечки смердов,
а в хоромы царей — кулаком?

Не они ли на загнанной тройке
мчали Пушкина в темень пурги,
Достоевского гнали в остроги
и Толстому шептали: «Беги!»

Палачи понимали прекрасно:
тот, кто мучится, — тот баламут.
Муки совести — это опасно.
Выбьем совесть, чтоб не было мук.

Но как будто набатные звуки,
сотрясая их кров по ночам,
муки совести — грозные муки
проникали к самим палачам.

Ведь у тех, кто у кривды на страже,
кто давно потерял свою честь,
если нету и совести даже,
муки совести все-таки есть.

И покуда на свете на белом,
где никто не безгрешен, никто,
в ком-то слышится: «Что я наделал?!» —
можно сделать с землей кое-что.

Я не верю в пророков наитья,
во второй или тысячный Рим,
верю в тихое: «Что вы творите?»,
верю в горькое: «Что мы творим?»

И целую вам темные руки
у безверья на скользком краю,
муки совести — светлые муки
за последнюю веру мою.

1966

МАЛЬЧИКА НАЗВАЛИ БАБИЙ ЯР

Несколько лет тому назад мне пришло письмо из Израиля от родителей мальчика, назвавших своего сына Бабий Яр. Сейчас он уже ходит в школу.

Мальчика назвали Бабий Яр,
чтоб никто в счастливейшей семье
тех, кто под землей, не забывал
на короткопамятной земле.

Мальчик, осторожнее ходи.
Ты — курчавый, худенький музей.
А не тяжело носить в груди
столько мертвых женщин и детей?

Но взаимоместь — не честь мужчин —
знают Яд Вашем и Баальбек.
Неужели нас не научил
ничему двадцатый страшный век?..

А вокруг, ничуть не покраснев,
ставят выше состраданья нефть,
и жандарм, и террорист равны
в оправданье нужной им войны.

Люди сходят на войне с ума –
стольких словно дьявол обуял.
Кто я? Мальчик Станция Зима.
Дай мне руку, мальчик Бабий Яр.

Шар земной — усталый человек.
И, по обе стороны скорбя,
Ты, Господь, один у нас на всех,
лишь зовем по-разному Тебя.

Мы еще увидим смерть войны.
Мир в корысти и крови погряз.
Войны будут все запрещены
государств, религий или рас.

И сейчас я вижу сквозь пожар,
охвативший Хайфу и Бейрут:
поседевший мальчик — Бабий Яр
и араб-ровесник, мудр и стар,
слушать Шостаковича придут...

4 августа 2006

Слушают стихи, 1954 г.

Москва, День Победы, 1956 г.

Политех, 1961 г.

Первое чтение «Бабьего Яра»
в Политехническом музее, 1961 г.

В Гослитмузее, 1959 г.

ДК им. Кирова, Ленинград, 1964 г.

1962 г.

Москва, 1972 г.

1984 год – в музее Холокоста в Вашингтоне, где на стене цитата из «Бабьего Яра».

С Робертом Кеннеди в Вашингтоне, 1966 г.

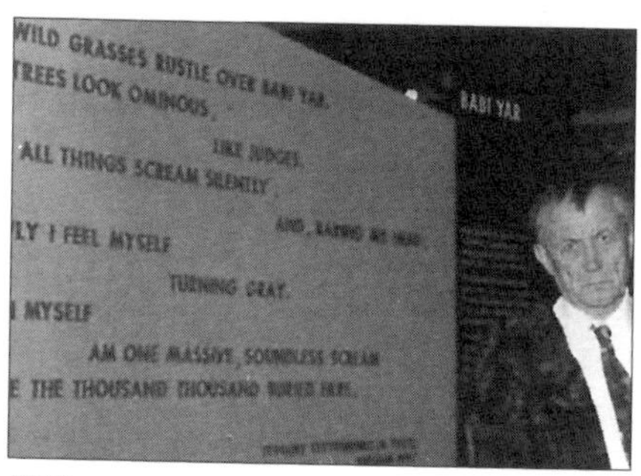

У Стены памяти в музее Холокоста в Вашингтоне, 1997 г.

Мама

С сыновьями Евгением и Дмитрием, Нью-Йорк, 1993 г.

СОДЕРЖАНИЕ

Евтушенко Е.

Е 27 Я пришел к тебе, Бабий Яр... / Евгений Евтушенко. — М.: Текст: Книжники, 2012. — 142[2]с.

ISBN 978-5-7516-1055-5 («Текст»)
ISBN 978-5-9953-0204-9 («Книжники»)

В своей книге Евгений Евтушенко рассказывает об истории создания Тринадцатой симфонии Д. Шостаковича, которая по праву принадлежит к числу великих произведений XX века, а также об истории своего стихотворения «Бабий Яр», напечатанного в «Литературной газете» в 1961 году и сразу ставшего событием. Тринадцатую симфонию Шостакович сочинил на стихи Евтушенко, с помощью музыки он рассказал о трагедии, которая произошла в 1941 году, и создал «первый звучащий памятник Бабьему Яру». В книге Евтушенко поэзия чередуется с воспоминаниями, отрывками из писем, газетных статей, документов – тема Бабьего Яра помещается в широкий культурный контекст. Более того, по прочтении книги становится ясно, что отголоски того страшного события слышны и по сей день.

УДК 821.161.1
ББК 84 (2Рос-Рус)6

Евгений Евтушенко

**Я ПРИШЕЛ К ТЕБЕ,
БАБИЙ ЯР...**

Редактор О. Поляк
Оформление И. Киреевой
Художественный редактор К. Баласанова

Подписано в печать 10.07.12. Формат 84 x $100/_{32}$.
Усл. печ. л. 7,02. Уч.-изд. л. 5,4.
Тираж 3000 экз. Изд. № 1069.
Заказ № 5349

Издательство «Текст»
127299 Москва, ул. Космонавта Волкова, д. 7
Тел./факс: (499) 150-04-82
E-mail: text@textpubl.ru
http://www.textpubl.ru

Издательство «Книжники»
127055, Москва, ул. Образцова, д. 19, стр. 9
Тел. (495) 663-21-06; 710-88-03
E-mail: info@knizhniki.ru; lechaim@lechaim.ru
Интернет-магазин: www.knizhniki.ru

Отпечатано с готовых файлов заказчика
в ОАО «Первая Образцовая типография»,
филиал «Ульяновский Дом печати».
432980, г. Ульяновск, ул. Гончарова, 14